JN220167

義太夫節浄瑠璃未翻刻作品集成 73

義太夫節正本刊行会 編

玉川大学出版部

今様傾城反魂香

いまようけいせいはんごんこう

表紙図版　義太夫節浄瑠璃全盛期の竹本座と豊竹座
（早稲田大学演劇博物館蔵『竹豊故事』より）

刊行にあたって

浄瑠璃が板本として出版され始めてから、ほぼ四百年の時が経つ。その間に刊行された作品は千数百点にも達するであろう。わが国の代表的劇作家近松門左衛門の極く初期の作品を以て、古浄瑠璃と当流（新）浄瑠璃とに二分するのが浄瑠璃史の定説であるが、古浄瑠璃時代の作品（約五百点）は全てといってよいほど活字化されている。当流浄瑠璃となると、近松を初め、紀海音、錦文流、西沢一風、福内鬼外、菅専助の六作者に関してはそれぞれ全集が刊行されているが、それ以外の作者のものは文学全集等に収められた名作と称されるものに限られている。活字化された作品が極めて少ないのが現状である。

近代になると明治維新以前の書物が活字化されることとなる。この潮流の中に浄瑠璃名作も含まれ、その数は少なくない。だが名作の重複といわざるをえない。

近世芸能の浄瑠璃は近代になっても文楽の名のもと、舞台の芸能として隆盛を続けた。大阪という一都市に限らず、全国に文楽人口は充ち満ちていたといっても過言ではない。文楽を支える人口の相当数は浄瑠璃を習得する人口とも合致した。文楽は太夫、三味線、人形の三業によって成り立つ芸能であるが、太夫と三味線だけで浄瑠璃を聞かせること、今でいう素浄瑠璃でも十分満足できる。玄人は素浄瑠璃の会を開催する。素人もまた己の芸を披露することを試みる。これは浄瑠璃が音曲として勝れた表現技法を会得していることによるが、さらにいえば語られる内容が聴く者の心を揺り動かすためである。言葉を替えていえば文学としての鑑賞にも十分耐え得る内容を浄瑠璃が備えているということであろう。

浄瑠璃が語られ始めてさほど時を経ぬ時代から、文学として享受された記録は、全国各地に拾うことが出来る。何故か。手短にいおう。浄瑠璃は近世庶民の倫理観、人生観を構築していく上で必読書であった。それ故に近代の出版物に多く含まれたのである。

近世から近代まで、わが国の一般庶民に愛好された浄瑠璃、そこで展開された思想は、血肉となって伝えられたといってもよい。現代は如何であろうか。断絶があるという外はない。理由は浄瑠璃との接触の機が非常に薄くなったためである。この不幸な状況を打破すべく、私どもは義太夫節正本刊行会を平成十年に組織して活動を始めた。未翻刻作品を世に送り出し、あわせて戦前に翻刻があるものの手に入りにくく、今や未翻刻と同様の作品も対象とすることとした。

先に述べた古浄瑠璃の作品や浄瑠璃作者の全集は学術出版の形をとったが、ここに提供する「集成」は、誰もが一度は手にとらねばならなかった小・中学校の教科書を意識した造本にした。近代日本における個性あふれる教育機関として知られる玉川大学の出版部において、この「集成」が世に出ることも、何かの巡り合わせではなかろうか。このことは会員一同の喜びでもあり、今は読者の一人でも多からんことを祈る気持ちである。

右は第一期刊行時の趣意に多少の手を加えたもので、今も当初の意識を持続している。

第二期に至り賛同した数人の若い研究者の参加を得、第三期以降は更に賛同者を増加した。刊行会の発展の上でも心強く、学問の継承の上でも、大変喜ばしいことである。

＊

ここまでが、第七期の刊行決定直後に、ご他界なさった鳥越文蔵先生のご執筆によるものである。

今回も、「集成」の続刊を準備する間に、日本学術振興会から令和四年度・五年度科学研究費補助金及び令和六年度学術研究助成基金助成金の交付を受け、浄瑠璃正本の調査、デジタル・アーカイブ拡充に向けてのデータ作成を進めることができた。さらに日本学術振興会令和六年度科学研究費補助金研究成果公開促進費の助成にも恵まれたので、引き続き玉川大学出版部により「義太夫節浄瑠璃未翻刻作品集成」第八期として、十一作を刊行する運びとなった次第である。

なお、第八期の原稿作成最中の令和四年に、正本刊行会において長くご指導くださった内山美樹子先生が逝去された。先生からは「集成」の収載作品として、戦後数十年間に刊行された文学全集等に収載された作品も近年では入手しにくくなってきたことを鑑み、それらに収載された翻刻作品も改めて取り上げるべきとの方針をお示しいただいた。本研究会はその方針にのっとり、今期以降作品を選定していくこととした。

終わりにこの「集成」刊行にあたって底本を提供してくださった、大倉集古館、国立劇場、松竹大谷図書館、天理大学附属天理図書館、東京都立中央図書館加賀文庫、文楽協会豊竹山城少掾文庫、早稲田大学演劇博物館、諸本の閲覧を許された所蔵者・機関各位に篤く御礼を申し上げる。

令和六年　六月

義太夫節正本刊行会

目次

凡例

一、底本　出来得る限り初板初摺の七行本を用いた。

一、作品名　内題によった。

一、校訂方針　底本を忠実に翻刻することを原則としたが、次のような校訂を施した。

1　丁付　丁移りの箇所は本文中に「（　）」を施し、その中に実丁数を洋数字で示し、表「オ」、裏「ウ」の略号を付した。

2　文字　①平仮名、片仮名とも現行の字体を用いた。

②常用漢字表、人名漢字表に収録されているものはその字体を使用することを原則とした。ただし、一部底本の表記に従って複数の字体を使用したものもある。

（例）回／廻　食／喰　杯／盃　竜／龍　涙／涕　婿／壻／聟

③特殊な略体・草体・合字などは表記を改めた。

（例）→様　→部（ただし夕→夕べ）　→候　→郎

→参らせ候　→給　→也　→こと　→こゑ

ゟ→より　→かしく　→まゐる　→さま

④踊字は、原則として平仮名は「ゝ」、片仮名は「ヽ」、漢字「々」に統一した。ただし「〳〵」は底本のままとした。

⑤仮名遣い、清濁、誤字、衍字は底本のとおりとした。

⑥＊は原本の「ママ」の意であるが、極力付さないこととした。

3　譜　墨譜は全て省略したが、文字譜は全て採用し、本文行の右、または振り仮名の右の適切と思われる位置に付した。

4　太夫　語る太夫を指定した略号は、それを「□」で囲い、文字譜の位置に付した。

5　句点　「。」で統一した。

6　破損　底本が破損などにより判読不能の場合は、同板の他本により補ったが、一々断ることはしなかった。

7　改行　本文は曲節等を配慮して適宜改行した。

一、解題　底本の書誌、番付・絵尽の有無（『義太夫年表　近世篇』に依拠）、初演年・劇場、主要登場人物、梗概で構成し、補記として校異本に触れることもある。

今様傾城反魂香

今様傾城反魂香

豊竹越前少掾直伝

文字を製りしいにしへの六書の中の第一も。或は日月草竹の形を象る画図にして。それとわかるゝ墨の色。いでや丹青ゑらみとる。時に近江の国司。六角左京の大夫頼賢の〽系図所領ぞ。たぐひなき。今在京の御やかたおそばさらずの若家老。名古屋山三春平を。（1オ）召つれ広間に出給へば。執権ふわの道犬がちやくし同名伴左衛門宗末。御前間近く頭をさげ。此度将軍家の仰にて。諸国名木の松の絵を集めさせ給ふ故。お家の絵かき長谷部雲谷。したゝめ申ス其内に。はや方〳〵より集りし由。大様調ひ候やとうかゞひ申せば頼賢卿。ヲヽゑらみ取たる松の絵図。凡一百八十株。され共奥州武隈の松は。跡なく枯はてしる者なし。幸かな是成山三が（1ウ）しるべの絵師。かの、四郎二郎元信は。古今まれなる名画のよし。こんぼうせばかきあらはさんと。山三が使を遣したり。かれが器量を試んと仰もきらぬに伴左衛門。憚ながら外のまつはかくべつ。かゝる秘伝の名木を。御家のゑし雲谷に仰なく。余人に望み給ふ事且はお国の恥辱に似たり。則雲谷其松の。秘伝をあらはしお次にひかへ罷有ル。かれがゑづを召給ひ。狩野とやらんが参りなば。ぼつかへし給ふべしと。家のため顔にがみ有ル詞をまはし言上す。

なごや聞かねすゝみ（2オ）より。のふ伴三殿。是は主君私の御用にあらず将軍家の仰也。たとへ他門の者にもせよ。慥成図を差上てこそ献上となるべけれ。雲谷秘伝をあらはしたるは幸。かのも諸共召よせられ。其うへのひはん然るべしといはせも果ず。イヤサ御辺の取持とて。左程にかのをひいき無用。雲谷既にゑがきし上。かのを召スは無益のついへ。返改の使者誰か有参れ〳〵と立所を。刀のこじりしつかと留。

イヤ出過たり伴左衛門。某お差図を以て御辺の父道犬と。相役（2ウ）の執権職。ひいきのさたとは役義のきづ。お目がねをくもらす一言ハレぶてうほう千万と。一引ひいてはねかへされ。コハすいさんと立なをり。双方はむかふ其いきほひ。頼賢卿中へ入左右へ引わけ押しづめ。互に忠義のろんなれば必ゐこんをふくむべからず。雲谷かのをも召よせて。双方評義然るべしとの給ふ所へ。なごやが家来御庭に頭をすり付。かのゝ四郎二郎元信。お召によつて参上と。申上ればよき折から。雲谷共にそれ〳〵と御意に〵応じて立出る

先へと（3オ）足を。はせべ雲谷心をくまどるゐせ者の。次にすゝみし若男かのゝ四郎二郎元信。共に見どりの松の筆。おの〳〵たづさへしかうする。互にひはんと仰により雲谷は座をゐなをり。ノウかのとやら。武隈の松はしる者なく。画工のなんぎとする所。此雲谷は伝受せり。御辺がぶんざいしつたるとはふしぎ〳〵。虎をゑがいてならざれば犬にるいするたとへ有リ。そこつのゑづは無用ぞとあざむき笑へば四

郎二郎。イヤ某ふぜい存たると申にあらず。御評定にまじ（3ウ）はりて定むべきと存る計。伝受のゐづにしくはなしとう〳〵御前へ差上給へと。じたいの詞さもそふずと。雲谷持参の一くはんをやがて。御前にさし出す。

頼賢ひらかせ見給ふにちとせもふりし三本松。それかあらぬかしらね共。伴左衛門はひいき目にあつはれ是よとほめそやす。雲谷づにのり。コレサ元信。讃（さん）があらば申されよ聞てくれんといひかくる。されば見しらぬ事なれ共。然らば一往（わう）尋ぬべし。あの松のかず三本とは。しさいぞあらんいかに〳〵。ヲヽあれこそ古歌に。三木（みき）とこたへんと有ル（4オ）下の句。是慥成せうこ也。いや〳〵それは心へず。其上の句に。武隈（たけぐま）の松は二木（ふたき）と承る。みきといふは木の事ならず。見けりといふ詞にて松を見たと申事。しかるを三本かヽれしは。蛇（へび）をゑがくに足をそへし誤（あやま）り同然。もしや伝受のさういにや。きかまほしやととひかけられ。サアそれは。それはと計すいりやうのゐそら事とぞ見へにける。

伴左衛門きをいらちヤア／＼元信。他(ひと)の事をいはず共。汝がゑをさし上よと云まぎらせば四郎二郎。ぜひなく持参の一くはんを。なごや山三が取次にてひろふ申せば（4ウ）コハいかに。一筆もなきしらかみを見るになごやも一座のめん／＼。かのが心底(しんてい)心へず。こゝぞせこめる伴左衛門四郎二郎をハッタとねめ付。松をゑがゝずしらかみとは。上をあざむくくはんたいと。かさにかゝれば四郎二郎。コハぎやう／＼しき御いかり。最前も申通り。某ふせい存たると申にあらず。御意は急(きう)也松のゑは伝受物。先しらかみを差上しは。いにしへの詞にさへ。武隈の松は此度跡もなしと申されば。今は殊更跡もなし。偽(り)のづをかゝんより。誠の跡なきていこそは難(なん)もなく候はめ。しゐてお望み候はゞよつくかんがへ。かさねてゑがき申べし。かく（5オ）取あへぬ跡なきていおとがめあらばともかくもと。理をたゝしてぞのべにける。頼賢しゞうを聞わけ給ひ。元信はおく頼もしき詞のすへ。汝何とぞ正じんの松をかんがへゑがくべし。づを偽りし雲谷が科(とが)。家のちじよくとゆるしおく。ヤア伴左衛門。其方も同道し国元へかへれよと。筆のとばし

りかけまくもおもき詞にかへさるゝ。松のゑづより元信の。しらぢがましで首尾よくもいとま給はり〽

しろきをのちと花のゆき。〳〵。の山や春をゑがくらん。きゝにきたのゝほとゝぎすはつねをなきし（5ウ）其昔。せいりやうでんに立られしはね馬のしやうしのゑ。夜ごとに出てはぎのとのはぎをくひしも金(かな)岡(をか)が。筆のすさみのあとたへずつたはる家や画工(ぐわこう)のほまれ。かのゝ四郎二郎元信たんぜいのきりやうこゝんに長じ。心ばへよき男ぶり。親のゑ筆のさいしきに生れ。つきなるびなん也。

比は文亀(ぶんき)の弥生(やよい)の空天満天神のつげ有て。越前の国けいの浦へと旅(たび)ばをり。我はかさきて大小の。つかにも袋(ふくろ)きせるづゝでつちがこしのしら山も。こぞのみどりにかへる山。やまのいたゞき。青々(あを〳〵)と。雲にうつろふさかやきの。ゆ（6オ）のをとうげのまごぢやくし。もりこぼしたる花重(がさね)かさね〳〵しはたごやが。なさけもあつきかんなべのつるがのはまにぞつき給ふ。

四郎二郎一ぼくをまねき。ヤイうたの介。某此所に下りし事よの義にあらず。六角左京の大夫頼賢(よりかた)殿。将軍家の御意を受。本朝名木のまつのゐほんをあつめらる。然ルに奥州武隈の松といふ名木は。いにしへのふゐんほうしさへ跡もなしとよみたれば。名のみ残ッてしるしなし我是をかきあらはし。ほまれをゐさせ給はれと天満天神をいのりし所に。武隈の松を見んと（6ウ）思はゞ。越前国けひのはまべにゆくべしと。あらたにれいむをかうふれども。それはみちのく爰はこしぢ。何をしるべに尋べきあはれ里人のきたれかし物とはんとぞよばゝる。

所の者の御用とは都人にて有げに候。御尋有たきとは何事にてばし御座候。御覧のごとく都の者。松を尋るしさい有。此所にこそ名高き松の候らめおしへて給はり候へとよ。是は思ひもよらぬことを承る物かな。此北国にてお尋有らふならば。越前布越前綿。若は実盛の生国なれば。お供のやつこの髭にぬる油ずみなどのお尋も有べきに。名（7オ）高き松とはさすがやさしき都人。先当国のめい木は。西行がしほこしの松。あそふの松わかゞ物見の松。かねがさきには義貞のこしかけ松。山のを山松庭のを庭松。門には門まつ酒にははま松。こゑたはこゑ松ねぢたはねぢ松わり松たい松ぬつほり松。我等がむす子に岩松長松と申みどり子も候。ヤア誠に天神の御つげと有に思ひあたつた。当所つるがの町に名高き松の御座候。是ぞ京にもたぐひなしと心をかけぬ人もなき。色よき松の候が。若(もし)左様の松にてはござなく候か。[シテ]げにやゆきゝもしたふとは疑(うたがひ)もなく我等が尋るめいぼくよ。(7ウ)いそいで見せて給はれかし。[ワキ]いつも夕くれごとに此所へ顕(あらは)れ出給ひ候。ヤア〳〵はやあれへ御出候。我等はおいとま給はり候べし。御とうりうの間御用の事は承り候べし。[シテ]頼申候はん。[ワキ]心へ申て候。

地中
高き名の松の門立たちなれて人待がほのくれならん。町はつるがの。かけづくり。まぶこそしほのみちひなれたれをかもしる人にせん。此さとの。松となりしも。親のため。うられかはれてきたぐにの土けの〳〵しづのさとなれどよねのそだちは上でんの。(8オ)すいそんなしの大夫しよく。名をとを山とよばれしも。人にのぼれの恋のさかおろしあゆみの道中は。花の立木の其まゝにぬめり出たるごとくなり。

うたのすけ是申見事な者がそれそこへ。それ〳〵といへば四郎二郎ヤアなんと。松が見へたかあらはれたか。うつしとめんとふつと立女郎にはたとゆき当り。是は扨松かと思ふてはまつた。本の松をたづねて見ん。でつちこいとゆき（8ウ）ちがふ袖をひかへて是申。自はつるがにてとを山と申けいせい。京のくるはの松様たちとくらべさんすがふかくのいたり。しかしぶすいなおかたには松と見られてうれしうなし。杉といはれてはら立ずくわの木共ゐの木共。こなさあのおめからはあほうの木共見さんせと。むだことなしのいひ捨はいなかよねとてわらはれず。

ヲヽ、御きげんそこねし御尤。げに〳〵松とは大夫様。我等はわるふ心へてぶてうほうな（9オ）御あいさつ。まつひら〳〵おわびこと。是を御ゐんにおしる人になりましたし。扨下拙事はかのヽ四郎二郎元信と申わづかのゐかき。さる御かたよりたけくまの松のづを仕れとの仰。すなはち天満天神のむさうにまかせ。此所にて名ある松とたづねしを。大夫様との取ちがへ是はかふも有ふ事。御りやうけんついでにおつき合もあまた也。ねがひの叶ふたよりもあらば。御せはたのみ奉ると思ひ。入てぞかたら（9ウ）る丶。
女郎はつとかほをながめ。扨はかの丶四郎二郎元信さまとは御身の上か。はぢをつ丶むも時による何をか
くさんわし事は。土佐の将監光信（しやうげんみつのぶ）が娘なるが。父は一とせちよつかんうけ今浪人のうきとせい。此身に
しづむは申さず共すいしてないて下さんせ。扨たけくまの松のづは土佐の家のひでんのゑほん。もらす事
は叶はね共。ゆふべふしぎや天神さまのゆめのつげ。かのといふゑし下るべし。たけぐまの松（10オ）を
伝じゆせよ父がしゆつせのたねならんと。見たはまざ〲まさゆめと。かたりもあへぬに四郎二郎。かん
心かんるいきもにそみ。天をらいし地をはいし。くはい中のゑ筆ゑぎぬをひろげ。サアあそばせ御伝じゆ
たのむと悦びける。
いかにもつたへ申さんが。親のゆるしもなき中に筆とる事はいかゞ也。ア丶何とせんげに思ひ付たり。あ
のお供の人の立姿を松の立木になぞらへ。笠（かさ）を枝葉（ゑだは）の（10ウ）笠となしこ丶にてまなび見せ申さん。それ

にてうつしとめ給へ是そこなやつこ様。こゝへござんせやとひましよ。ない〳〵手ふるづをふるとし
ふる松の。せうこんによつてこしつきも。千年のみどりうつせしはさくいなりけり
先歌人の見立には。一本松を二木共三木とつらねしことのはの。それはおひ木の松がへなれどうつす〳〵若
木の。やつこの〳〵。此ひざのふし松のふし。前へぢすりの下枝に（11オ）ぬつと出せしかた足は。
りよぐはい千万千貫枝。筆捨枝や久かたのあまつ。おとめのかたくま枝やこしかけ。枝の三かいまつ。
月にさはらぬ枝々の。さゞれ小枝の松かげを。サアおきこぐ舟のほの。ほの見へて。さすかひなにはじゆ
ふくの枝おさむる手にはふらうの枝。たれて雪見のひかへの枝。是々これ〳〵。ずつとのびたるながしの
枝。松はひじやうのものだにも。つたへし心の。いろはなをさながらせい（11ウ）〳〵でう〳〵として。
松のいき木のいき〳〵とわかやぎ。立る其ふぜい。
かのは一てんちがひなくかきつらねたる筆勢。いづれをうつしゐいつれを立枝まがひつべうぞ見へにける。

元信(もとのぶ)家の幸甚(かうじん)たりさつそくかへり本ぐはいとげ。此ほうおんには御身のうへ父御の事も請取申。万のお礼は本国よりと立かへるを是申。神のつげにまかせしからはおんにはかけずすへかけて。なさけをおぼしめす（12オ）ならば。かならず外に内義様持てばし下んすな。やつこ殿たのみます何が扨〳〵。天神様より大夫様おつつけおふたりれんりの松。中に立たる此松は島だい持ての取むすび。千年万年万々年。とぢ付ひつ付松やにのはなれぬ。中とぞ〳〵ことぶきし

されば江州。高嶋のやかた左京の大夫頼(より)かた卿(きやう)。さんきんのしやうらく有。しつけんふわの入道どうけん。同ちやくしふわの伴(ばん)左衛門（12ウ）宗末(むねすへ)。国をあづかるすゐ也。御家のゑ所はせべのうんこくあはたゝしく。入道親子が前に手をつかね。近比くはごんに候へ共。某事はせつしうのてきでんとして代々の御ふち人。此高嶋のおやかたにて。ゑ筆を取てたれ人か拙者が上(かみ)につき申さん。しかるに此たびかのと申あを二さい。たけくまの松をかきしとてくはぶんのおんしやうを下され。こさんをふみ付御前にはびこりあま

つさへ。今日はおくがたへ（13オ）めされ姫君様より。みつ〳〵の御用仰付らるゝと承る。殿様の御るすたがゆるしてのすいさん。御家老の仰一国にいはい申者はなし。きつと御ぎんみしかるべしとざさゝへける。

道犬うなづきつゝとよれうんこく。惣じて此四郎二郎めは。相やくなごや山三が取持にてめしいだされた。山三はぐはんらいお小性立。前がみのさかばやしで殿をゑはせし男げいせい。からうなみにのし上るぞんぐはい。（13ウ）かね〴〵にくしとゐこんをふくむ其山三めをかうにきて。のさばりまはる四郎二郎我々親子がにらめ共。こと共思はぬきつくはいさ其方とても同前ならん。又おとの姫君いてふの前は。御あい子なれ共わきばら故御だい所をはゞかり給ひ。田上郡七百町の御しゆゐんを付られ。京都うとくの町人か由緒有御家中へも。下されんとの御内意故某よめに申請。此伴左衛門にゐんへんし七百町をぬしづかんと。あて（14オ）はめておいた物。姫君かのめに心をかよはし。今日みつ〳〵しうげん有と。おく目付より聞たれ共御意とあればせんかたなし。御在京の其間は山三めもるすなれば。きやつが方人(かたふど)する者なし少しにてもあやまりを。ずいぶん見出せりよぐはいをせば打ころせ。御るすの間国中は某がさばき也。此ふわといふわにが見入てあまりほどはあらせまい。ためして見たいあらみはないか。一のどうか（14ウ）二のとうか。のぞんでおけといひければ雲谷(うんこく)はなはだゑつぼに入。せいたうたゞしき御からう様。おやかたのしんばしらとついせうたら〳〵見ぐるしし。

かくとはしらず四郎二郎桜の間にしこうし。姫君いてふの前様より御かけ物を仰付られ。持参仕候御取次たのみ奉ると。いへ共入道伴左衛門じろりと見たる計にて。へんとうもせずねめ付る。ヤアしれ者よ。そばには雲谷いかさま我に（15オ）手をとらするたくみ有。立かへるもふかく也さいわい〳〵。おくへつうろのすゞの綱(つな)。ふりはへひけばすゞのおとおふと〳〵こたふる女のこゑ。

宮内卿(くないきやう)とて中老(らう)のつぼね立出ヤアかの殿か。姫君様の御待かね。おじきの御用も有とのおことサア〳〵こちへと有ければ。ウ畏て四郎二郎いらんとすれば。伴左衛門こゑをかけまて。色〳〵。詞お家のおきてをしらずんばなぜ物がしらにはうかゞはぬ。但しは（15ウ）しつてもそむくのか。上よりおゆるしなき時には物をたいし。おくがたへ参る事きんぜいとの御でうもく。地色ハルあれ大小もいで引ずり出せ。ウ当番〳〵色とよばゝれば。中くないきやういやウ是は私ならず。姫君様より殿様へおうかゞひ。則京よりなごや山三殿のさしづにて。ハルおくへめさるゝ四郎二郎なんのおとがめござらふと。いへ共ウ色道犬きゝ入ず。詞おるすをあづかる家老のみゝへ。承らぬ御意なれば（16オ）殿の御意でも叶はぬ事。地色ハルそれ伴左衛門もいでとれまつかせと立上る。四郎二郎もウ身がまへしてよらばきらんずまなこざし。左右なくもより付ずサア。わたせ〳〵と詞フシでおどす計也。

地色ハル時におくよりおこし本つか色〳〵と出。詞是々いづれもお姫様より御意が有。四郎二郎殿にはじきに御用の事あれ共。丸ごしでなければおくへ通さぬ御はつとゝあればぜひに叶ず。姫君様此所へ御（16ウ）出との仰也。四郎二郎は御用人。其外の男のぶん雲谷はいふにおよばず。御家老殿を始御前へは叶はぬ。皆おひろまへ立ませい。〳〵とのけんへいさ。道犬親子むねんながらつゝと立て。サア雲谷姫君の御前へは。男たる者罷出ず男でもないこしぬけに。侍のじぎ無用のさたと。四郎二郎に刀のこじり。打あて〳〵はかまのすそ。ふみたゝくつてにらみ付お次の〽間にぞ出にける。

御るすといひ女中の（17オ）ほとりなをおんびんの事共せず。御このみのかけ物梅にあわ雪雉山鳥。仕て候とひもをといてかけければ。此由ひろういたさんにサアまづゆるりとお茶しんじやと。局はおくにあい〳〵とあいそうらしきこゑ〴〵の。男のそばへよる事はつねになしぢのたばこぼん。らくがんかすでらやうかんより。くはしぼんはこぶこしもとのまんぢうはだぞなつかしき。

物におくせぬおのこなれ共女中の色にめうつりて。気（17ウ）をとられたる折ふし十八九なるわきつめの。うしろむすびもかくべつにてうしさかづきまへにおき。しとやかに手をついて。私はお姫様のおぐし上藤ばかまと申者。しみ〴〵お咄致しませいとの御ことぞや。御存の通お手かけばらのお姫様。みだいさまへのはゞかりにて大名高家（かうけ）のお望なく。心次第ゐん次第とたながみ郡七百町。御　しゆゐんにぎつて殿ごのみつれないはそなたさま。（18オ）いつぞやより色々とおちの人お局。口のすい程すゝめてもどふでもお受（うけ）ないとのこと。おいとしや姫君はあまりの事に恋こがれ。私をおねまへめしヤイ藤ばかま。せめてのことにそちなりと四郎二郎と名を付て。心ゆかしにだいてねよそちもおれをだきしめて。姫かはいひといふてくれともがき事がおいとしさ。とんと下ひも打とけて。ねる程だく程しめる程ふたりの心せく計。どちらぞ男に（18ウ）なりたいといふてもないてもかなはゞこそ。なふ大名の手わざにも有べき道具のたらぬのは。ひよんな物とておむつかる。自にいなせのへんじ聞切参れとのお使。わたしも一ぶん立様におへんじなされとのべにける。

元信ひたいを畳（たゝみ）につけみやうがにあまるしあはせながら。度々おへんじ申ごとくしよほうばいのそねみと申。欲心(よくしん)にまぎるゝ事世間のあざけり。よし御きげんにちがひかいゐき仰（19オ）付らるゝとて。〔地色ウ〕御恨候まじ〔ハル〕御受とては成がたし。よき様にお取なしたのみ入とぞいひ切たる。〔色〕ハア〔詞〕にべもなふらちあいた。いかにとしても上つかたへ左様なりよぐはい申されまじ。少し物にしな付て。始よりやくそくの女房有と申なば。おむねのはるゝ事も有さりながら。其女房は何者とごとをつかるゝねんのため。今こゝで私とふうふかための盃して。とつと前から藤ばかまとけいやく有と申さば。〔地中〕いかな（19ウ）〔ウ〕主でも大名でも此道計はせんがせん。此だんかうはどふござんしよ。ヲゝウ〔ウ〕幸望む所。サア〔ハル色〕盃仕ふ。〔詞〕いや〳〵いや〳〵。我とてもかりにはいや。仏神かけてのめをとぞや。〔地色ウ〕せい文〳〵ゐ筆を〔ハル〕とらぬ法もあれ。こふじや〳〵といだき付近比〔ウ〕うれしい〔中〕忝し。是祝げんの盃(さかづき)と一つ〔ハル〕受て元信に。妻の盃いたゞくさほうぎしきはかたふと四かいなみ。〔ウ〕こしもと中がうたひつれおくよりお局島だいに。〔ウ〕七百町の御しゅゐん箱。〔ウ〕姫君さまの（20オ）御しうげん〔フシ〕三国一とぞ祝ひける。

四郎二郎がてんゆかずにげんとするをいだきとめ。藤ばかまとはかり名ぞやみづからこそはいてふの前。せい文立の盃いやはならぬとの給へば。いや我等の名ざしは藤ばかま。外につまは是なしとなをいぢばればこしもと衆。そんならほんの藤ばかま早ふ〳〵とよび出す。お茶の間のきりか丶五十あまりのあつげしやう。三平じまんの口べにしなだれか丶るゑしやくがほ。是が（20ウ）なんの藤ばかましやちらごはいかはばかまと。どつと笑ひのどやくやまぎれつきせぬいもせと成給ふ。

か丶る所へふわの伴左衛門宗末（むねすへ）雲谷をともなひ。ゑんりよもなく座上（ざしやう）にずつかとなをり。是四郎二郎。汝いか成やしんにかおやかたをてうぶくし。ほろぼさんとのぞんねん有。きつとせんぎをとぐべき旨（むね）父道犬（どうけん）が下知。申わけ仕るかすぐになわをかけふかと。はやなはたぐつて見せかけけり。四郎二郎ちつ（21オ）共さはがず。せめて形の有事には申わけも有べし。おやかたてうぶくとは此方のいひわけより先御とがめのせうこ。承らんとぞこたへける。雲谷下座よりこりや〳〵せうこは某よ。惣じてゑかきのひみつにてゑ

をかいて調伏(てうぶく)する事。人はしらじと思へ共此雲谷が見付た。此かけゑはわぬしが筆。梅に山鳥雪に雉(きじ)。抑
当家(たうけ)は高嶋のおやかたとがうす。山へんに鳥とかいては嶋とよむ文字也。梅の（21ウ）こずへに山鳥の
高々ととまりしは。是高嶋にあらずや。雉(きじ)にほろゝのこゑ有て雪はふるとの心有。よみくだせば高嶋ほろ
ぶるてうぶく。かのとはかりの野(の)とかけり。姫君と心を合やかたをほろぼし。一国をおのれがかりばの野
原にせんずる表相(ひやうさう)。地ハル ぢうざいのがれずなわかゝれと。取付所をひつはつしむないたはたとけたをすまに。
ウ 色 とびかゝる伴左衛門がまつかう刀のつかにてはつしと打。（22オ）すぐにぬかんとする所をかくし置たる
取手の者。十手八方かなぶちをぶち立〳〵ねぢふせて。高手小手にいましめくろじよゐんの床柱(とこばしら)に。思ふ
ウ ウ さまにしばりつけ姫君の御しゆゐんを。うばひとれとむらがるを女中てんでに枕鑓(まくらやり)。長刀にて引つゝみ
ウ フシ かこひふせげばあまさじとおくをさして追つめける。
地色ハル こしかけにひかへしうたの介かくと聞よりたまられず。かけ廻てもおくがたのかつ手はしらず（22ウ）中

口の。あけずの〔ウ〕門くだけてのけ〔色〕ととびらをたゝき。〔詞〕かの、四郎二郎元信が弟子。うたの介之信（ゆきのぶ）といふざうりとり。主といひししやう也しぬる道なら共にしなん。高がゑかきのでつちづれこはい事も有まい。相手の首取ぶんの事〔地ハル〕ひらけよあけよと貫（くはん）の木も。おるゝ計に〔ウ〕ふみたゝき〔フシ〕鳥居立にぞまたがつたる。

〔地色ハル〕元信内よりうたのすけか満足した。〔ウ〕身にあやまりなき上にりよぐはいをして（23オ）姫君の。御身のあやまちきづかはしかへれ〳〵と〔色〕よばゝれば。〔詞〕アヽりよぐはいといふも事による。あけずはふんでふみやぶる

〔地ハル〕とわめきちらせば雲谷（うんこく）ふわ。うたの介を打ころせと引かへして門の貫の木。〔ウ〕はづす所をつけ入にうんこくが小びたひずつはと〔色〕切さげたり。あいつたしとおどり上り二人ぬきつれ打かくる。あなたへ追つめこなたにさゝへ城下（じやうか）をさして　〔三重〕〽切出る

〔地ハル〕四郎二郎じだんだふんで。ヱヽ佞臣（ねいしん）共（23ウ）むざ〳〵とはしぬまい。〔ウ〕親よりつたへし一心〔ハル〕のゑ筆はこゝぞと〔色〕観（くはん）ねんし。〔ウ〕右のかたにはを立て〔ハル〕ふつゝ〳〵とくひやぶり。口に我身のちをふくみ。ふすまどにふきか

け〳〵フシ口にて虎をぞかきたり。ける。

地色ウ でんもくらいゐのまなこのウ光りいかり毛いかりハルふいかりづめ。フシ千里もかけんいきほひ也。

地色ハル 道犬は姫君のゆきがたたづねまはりしが。先ゐかきめからしまはんとたちをぬかんとせ中し所に。コハリにはかに

吹くウる風さはぎゐにかく虎ウはかたちをげんじ。きばを（24オ）地ハルならしてほへか丶る道犬もがうりきもの。

くみとゞめんといどみあふ。ウ虎はたけつてつめをとぎあたりをけ立て三重〳〵もみ合しがフシもとよりふしぎの。

地ハル もうしう道犬がゐりたぶさ。ひつくはへ打かたげくるり〳〵くる〳〵〳〵。くるり〳〵と持てまはり。一

ふりふつてなげければ。へいを打越しき石フシにつらをすつてぞ打付らる。

地色ハル 虎はいさんで元信のいましめをかみ切。中色せをさコハリウしむけてそばへたり元信やがて（24ウ）心付。ウはかまの

もゝだちしぼり上ひらりとこそはのつたりけれ。　虎は千里のあしはやく風にうそむく身もかろく。追

くる敵ウを追ちらしかけちらし。ほりもついぢも色をどりこへとびこへ。ナヲス 地ハル　はねこへかけりゆくキンぶがんぜん

じが四すいのとら。りしやうぐんは虎をくむ。ゑにかくとらをうごかすは。こゝん一人のつたも一人。天下一人一筆のほまれは。世にそのこりける（25オ）

第弐

地ハル
かりにもくはいりよくらんしんをくんしはとらずといひながら。いにしへのきじゆつみやうやうはしゆりやうの外に出るとかや。げにしうくんの一りやう山野（さんや）にはびこりくさ木をふみおり。でんばくをあらす事なゝめならず。近郷（きんがう）の百姓こへ〴〵に。三井寺のうしろから藤のお迄は見とゞけた。此山しなのやぶかげへにげこん（25ウ）だにきはまつた。皮（かは）に疵（きづ）を付ずにたゝきころせふち殺（ころ）と取〴〵わめきひやうでうす。

地色ハル
いほりの内よりぼうついて小ぢやうちんさげたる侍。ヤア何者じや人の軒（のき）。うてのころせのとはうさん也

とぞとがめける。いや是はやばせあはづの百姓共。此比しがらき山から虎が出てあれる故。りんがうがい
ひ合此やぶへ追こんだ。さがさせて下されと口々によばゝれば。侍あざ笑ひやい。虎といふ獣《けもの》が日本に出
たためしなし。十方も（26オ）ないこと夜盗《よたう》おし入の手引か。此いほりを誰とか思ふ土佐の将監光信《しやうげんみつのぶ》と
いふ絵師《ゑし》。しさい有て先年ちよくかんをかうふり此所にひつそくし。将監年はよつたれ共それがしは門弟《もんてい》
しゆりの介正澄《まさずみ》といふ者。〔地色ハル〕ゆだんはせぬと棒《ぼう》〔ウ〕ふりまはしいさかふこへ。将監ふうふしやうじをあけ聞〔色〕
たく〳〵。〔詞〕天地の間に生ずる物有まい共きはめがたし。〔地色ハル〕もろともさがせとやりくまでひつさげ〔ウ〕〳〵ゐい〳〵
ごへたいまつふつてかり立る。〔ウ〕一村（26ウ）竹の下かげにそりやこそ物よと火を上れば。あれにあれたる
〔ウ〕もうこのかたち。人におそるゝけしきなくせ〔フシ〕をたはめてぞやすみゐる。
〔地色ハル〕将監《しやうげん》よこ手を打て。〔色〕〔詞〕あらふしぎやがんひの筆の。竹に虎の筆勢《ひつせい》に少しもまがふ所なし。是は誠の虎にあ
らず。名筆《めいひつ》のゐに魂《たましい》入てあらはれ出しにきはまつたり。しかも新筆今是程にかゝんず人は。かのゝ祐勢《ゆうせい》

が嫡子（ちやくし）四郎二郎元信（もとのぶ）ならでは覚なし。いづれにもせよ（27オ）せうこには足あと有まい。〔地色ハル〕物はためしと

〔ウ〕百姓共わか草わけてたづぬれ共。〔ウ〕虎の足がたあらざればかき手もかき手めきゝもめきゝ。前代みもんのめ

いじんやと。〔ウ〕心なきどみんらもおがむ計にしんをなす。〔フシ〕

〔地色中〕しゆりの介七足さつて〔ハル〕師匠（しせう）をはいし。〔色〕〔詞〕ア、有がたや此虎を見て。ゑの道のさとりをひらき候其しるし。

〔地色中〕我筆さきにてあの虎をけしうしなひ申べし。〔ハル〕〔ウ〕名字（みやうじ）名乗（なのり）をさづけ御ゆるしを受たく候と。〔ウ〕こんぼうあれば

将監（しやうげん）〔中〕悦び。ヲ、（27ウ）〔ウ〕けふより土佐の光澄（みつずみ）と名付べしと。〔ウ〕ゐんかの筆をあたふればしゆりはいたゞき〔ハル〕

すみをそめ。虎のずんにさし当四五けん間をおきながら。筆引かたにしたがつてかしらまへすね後（うしろ）あしど

〔ウ〕うよりおさきにいたるまで。次第にきへてうせけるはじんべんじゆつ共いひつべし。〔フシ〕

〔地色ハル〕百姓共舌（した）をまき孫子迄の咄のたね。〔色〕〔詞〕なふあの上手なゑかき殿に。よいおやまを十人程かいてもらひ。かね

もふけがしたいといへは（28オ）ひとりが聞て。ヲ、〳〵ふゆとしおめにかゝつたら。借銭乞（しやくせんこい）の帳面を

こゝからけしてもらはふ物。おいとま申と打わらひざいしよ〳〵へ帰りけり。

地色中
こゝに土佐のばつていうきよ又平重起(しげおき)といふゑかきあり。生れ付て口どもりごんぜつあきらかならざる上。中ウ家まづしくて身代(しんだい)は。うすき紙子の火打箱。あさゆふのけふりさへ。一度を二度におひわけや。地色中大津のはづれにたながりして妻はゐの（28ウ）ぐおつとはゐかく。筆のぢくさへほそもとでのぼりくだりのたび人の。わらべすかしのみやげ物三銭(せん)五銭のあきなひに。命も銭もつなぎしが日かげの師匠(しせう)をおもんじて。半道あまりをふうふづれ。よな〳〵見まふぞしゆせうなる。

地ハル
おつとはなまなか目礼(もくれい)計女房そばからつうじして。ハアまだ是はおよりませぬ。誠にめつきりとあたゝかに日も永ふなりまして。世間は花見のゆさんのとざは〳〵ざは〳〵（29オ）いたしまする。こなたは山かげ御牢人(らうにん)の。おつれ〴〵をいさめのためよめなのひたしにとうふのにしめ。地色中さゝへでもいたしまして。せき寺か高ぐはんおんへおともして。春めく人でも見せませふと。めをと申ていますれ共心ておもふたばつかり。道者じぶんで見世はいそがし。せんだく物はつかへるしごとにははかいかず。日がな一日立ずくみ何をするやらのらくらと。いそげばまはるせたうなぎたゞ今ぜゞ（29ウ）からもらひまして。ねりぬき水の大津酒ゆめ〳〵しうござりますれ共。此春からお仕合がなをつて。うなぎの穴(あな)から出るやうに御世にお出なされませ。ほんにつべこべ〳〵とわたしがいふことばつかし。こちの人のどもりとわたくしがしやべりと。入合せたらよいころな。めをとが一くみできませうア丶おはもじやと笑ひける。

北のかた聞給ひ。ヲ丶ようこそいはふてたもつた。こよひはきめうな事有てしゆりは名字（30オ）をゆるされ。土佐の光澄(みつずみ)と名のるぞよ。そなたもあやかり給へとあれば又平時節(じせつ)と女房を。さきへおし出しせなかをつき。我身も手をつきかうべをさげ。そせう有げに見へければ女房心へすゝみ出。誠に道すから百姓衆の咄を聞。身はひん也かたは也おとゝでしに土佐をなのらせ。兄弟子(あにでし)はうか〳〵といつまでうき世又平で。藤の花かたげたお山ゑや。なまずおさへたへうたんのぶら〳〵（30ウ）いきてもかひなしと。身をもんでの無念がり。尤共あはれ共つれそふわらはの心の内。中も涙がこぼれまする。おく様までは申せしがおじきのねがひは此じせつ。今生の思ひ出しゝての跡のせきたうにも。ぞくみやう土佐の又平と御一言のおゆるしは。師匠のおじひと計にて涙に。むせび入ければ。又平も手を合せ。将監を三拝したゝみにくひ付泣ゐたり。

将監もとより気みじかく。ヤア又しては〳〵かなはぬことをどもりめが。（31オ）こりや此将監は。きんちうのゑ所おぐりと筆の争(あらそひ)にて。勅勘(ちよくかん)の身と成たるぞ。今でもおぐりにしたがへばふつきの身とさかふれ共。一人の娘に君けいせいのつとめをさせ。子をうつてくふ程のひんくをしのぐは何故ぞ。土佐の名字をおしむにあらずや。しゆりは只今大功(かう)有。おのれに何の功が有。きんぎしよぐははれのげいきにん高位の御座近く参るはゑかき。物もゑいはぬどもりめがすいさん千万。似合た様に大津ゑかいて世をわ（31ウ）たれ。茶でものんで立かへれとあいそう。なくもしかられて。

女房は力をおとしこなたをどもりにうみ付た。親御をうらみさつしやれと頼みなく〳〵又平も。我のどぶへをかきむしり口に手を入。したをつめつてなきけるはことはり。見へてふびん也。

ときにやぶの内よりも将監殿光信殿とよばゝつて。いたでおほたるわか者ゐんさきによろぼひ立。かのゝ弟子うたの介御見わすれ候か。げにも〳〵うたの介先こなたへとざしきに入ㇾ。承れば（32オ）四郎二郎殿雲谷ふわが悪逆にて。なんにあひ給ふだん〳〵つぶさに聞きづかはしと有ければ。さん候某も供仕。雲谷とたゝかひか様にふか手をおひ候。頼み切たるなごや山三殿は在京。元信あやうく候しがやう〳〵のがれ。落うせたると承る。こゝになんぎの候は。姫君いてうのまへ元信をあはれみ。七百町の御朱印を持て落給ひしを。敵うばふて下のだいごにかくれし由。二度姫君やかたへうつし御朱印うばひかへさでは。（32ウ）ながくゐしのかきん也某手おひの身は叶はず。御かせい頼み申さん為しのび参り候と。かたりもあへぬに将監皆聞迄におよばず。かのと土佐は一家同然力に成て参らせん。されどもきやつらと太刀打はいッかな〱かなふまじ。姫君にもけがあらんどふぞべんぜつのよき人に。おやかたの御意といはせ。たばかつて取かへすふんべつがござらふ。何れもいふてお見やれと。ひたいにこじはほうづゑつきおの〱小首をかたふくる。

地色ハル
又平何ぞいひた（33オ）げに。妻のそで引せなかつきゆびざしすれ共がてんせず。しんきをわかし女房を引のけてつゝと出。師匠のまへにもろ手をつきつをのみこんで。此うつ手には拙せしやが参り。姫君もゴウ御朱印も。ウヽ〱〱うばうばひ取て帰りましよ。将監きつと見ヤアめんどうなどもりめ。しあんなかばにじやま入る。そこ立てうせぬかと。しかられてもおぢるにこそ。イヤひざ共談合（だんがう）と申。口こそふじゆうなれ。心もうても天（33ウ）下にこはい者がない。拙者がふんべつ出し。かなはぬ時はゑん正すけさだ。あつちへやるかこつちへ取か首がけのばくち。命のさうばが一分五厘。うき世又平と名乗ては。親もない子もない身がら一心。命ははきだめのあくた。名はしゆみせんとつりがへ。せがれの時からきうこうなし。命にかへて申上るも。師匠の名字をつぎたいのぞみばつかり。拙者めをつかはされて下されませ申シ。申シ。さりとては御せうゐんないか。どもりでなくはかふは有まい。ヱ、〳〵〔地ハル〕うらめしい（34オ）のどぶへを。かきやぶつてのけたい女房共。さりとはつれないお師匠じやところを。〔スヱテ〕上てぞなきゐたる。

〔詞〕将監なをも聞入なく。かたわのくせのしゆつくはい涙不吉千万。相手に成てははてしなしこれ〳〵しゆりのすけ。御へん向つてしあんをめぐらしうばひかへし来られよ。〔地色ハル〕畏ッたといふよりはやく刀ぼつこみ立出る。〔ウ〕又平むんずとだきとめて〔色〕マ、まんまつてくれ。〔詞〕師匠こそつれなく共。弟子兄弟のなさけじや。此又平をやつて（34ウ）くれ。殿共いはぬスツす、すつ〳〵すり様。こりや又平。我も笑止に思へども。師の命めいは力なしこゝをはなせ。イ、〳〵いやハ、〳〵はなさぬ。はなさねばぬいてつくぞ。ツ、つきコ、〳〵ころせハ、〳〵〳〵はなしやせぬぞ。〔地色ハル〕しゆりの介もてあつかひ〔色〕はなせ。〔フシ〕〳〵とねぢあふたり。

将監ふうふこゑをかけはなせ〳〵ととゞむれ共。みゝにもさらに聞入ず女房取付。あれお師匠様の御意が有。おとましのきちがひやと。もぎはなせば女房を。取てなげ（35オ）はたとけてにらみ付。おのれ迄がきちがひとは。エゝ女房さへあなどるか。かたわは何のゐんぐはぞやと。どうど座をくみ畳(たゝみ)を打て。こゑもおしまず。なげきける心ぞ。思ひやられたる。

将監かさねて汝よくがてんせよ。ゑの道の功によつて土佐の名字をついでこそ。手がら共いふべけれ。ぶどうのかうにゐかきの名字。ゆづるべきしさいなしならぬ。〳〵といひ切給へば。女房ゐなをりサア又平殿かくごさつしやれ。今生の望はきれたぞや此手水(てうづ)（35ウ）鉢(ばち)をせきたうとさだめ。こなたのゑざうをかきとゞめ此ばでしがいし其跡の。おくりがうを待計と硯引よせすみすれば。又平うなづき筆をそめ石面(せきめん)にさし向ひ。是。生がいのなごりのゑ姿は*ごけにくつる共名はせきこんにとゞまれと。我姿(わが)を我筆の。念力やてつしけんあつさ尺(しやく)よのみかげ石。うらへ通つて筆の勢。すみもきへず両方より一度にかきたるごとく也。

将監大きにおどろき給ひ。異国(ゐこく)の王義之(わうぎし)趙子昂(てうすがう)が。(36オ)石に入木に入も和画(わぐは)においてためしなし。師にまさつたるぐはごうぞやうき世又平を引かへ。土佐の又平光起(みつおき)となのるべし。此勢ひにのつて姫君御朱印もろ共に。取かへせと有ければはつと計に又平は。忝しとも口どもり礼より外は涙にくれ。おどり上りとび上りうれしなきこそ道理なれ。

将監ふうふ悦び心功にて心ざしあつけれ共。敵に向つてもんどうせん事いかゞあらんとの給へば。女房聞もあへず。つね〴〵大がしらの(36ウ)まひをすき。わらは諸共つれわきにてまはれしが。ふしの有事は少しもどもり申されずといふ。やれ それこそはくつきやうよ。心見に一ふしめでたふまふてたて。あつとこたへて立あかりふるきまひを身のうへに。なぞらへてこそまふたりけれ。

さる程にかまくら殿。ぎけいの討手(うつて)をむくべしと。ぶゆうのたつしやをゑらはれし。それは土佐坊。是は又土佐の又平光起(みつをき)が。師匠の御おんをほうせんと。身にもおうぜぬおもにをば。大津の（37オ）町や。おひわけの。ゑにぬるごふんはやすけれ共。名は千金の。ゑしの家。今すみ色をあげにけり。かくて女房いさみをつけ。又もや御意のかはるべき。はや御立とすゝめける。ヲ、いしくも申されたり。身こそすみゑのさんすい男。紙ひやうぐのていなり共。くちてくちせぬ金すなご。極(ごく)ざいしきにおとらじといさみすゝみしいきほひは。ゆゝし頼もし我ながら。あつはれゑ筆のけなげさよ。からゑのはんくはいちやうりやうをたてに（37ウ）ついたと思しめせ。おいとま申てさらばとて打立出るいきほひは。誠に　諸人のゑほんぞとヲ、。ほめぬ者こそ　〽なかりけれ

あふ坂のせき。明ぼの近き火ようじのこゑ高嶋のやかたには。六角殿の姫君行がた見へさせ給はぬとて。旅人(りよじん)のあらため問屋(とい)のせんぎ土をかへさぬ計也。

又平はけさ七つだち門出祝ふ中椀に。れいのあつかん三ばいひつかけうつ立所に。やごとなき上らうのすあしの土に身もくづおれ。ふしみのかたよりうろ〱と是そこな者。（38オ）京の道をおしへてくれ。わらんぢとやらいふ物を。はかせてくれと詞つきの大へいさ。又平むつとしながらももしやそれかと心つきためらふ内に女房が。やがておもてへ走り出。姿かたちのあてやかさ見所有リと小ごゑになり。もし高嶋の姫君。いてうのまへさまではおはせずや。我々は土佐の将監が弟子吃の又平と申ゑかきのふうふ。かの、弟子うたの介に頼まれ。おむかひに参る折から也かならずつゝませ給ふなと。さゝやけばうれしげにヲ、自（38ウ）こそいてうのまへ。道犬雲谷が追手すきまなし。よい様にたのむぞやとの給へば。又平土辺にひたいをすり付悦びの色いさみの色。気をせけばなを物いはれず心をしかたのうでまくり。りきみそり打ゐやひのまねぬき打なでぎりおがみ打。くみ合ねぢくび手に取てにぎりこぶしのぶしぎをあらはし。はにふにかくまひ参らするふうふが〱所存ぞたのもしき。

地色ハル 程なく八町はしりゐの問屋(とひ)くみがしら。(39オ)くみ町引ぐしおこしかへつてこゑぐ〳〵に。色 詞 六角殿の姫君朱印をぬすみ出給ひ。御家老(からう)より御せんさくうらや小路もあらためよ。べつしてゑかきはやさがし有人はもちろん犬(いぬ)ねこも。地色ハル 内を出すなとうら口かど口ばた〳〵と。フシ さしもの又平取こめられかりばのしかのごとく也。

地色ウ ふわの伴左衛門はせべのうんこく。ハル きごみの兵百騎計。むら立来つて家々におし入〳〵さがしける。中ウ 又平一期(ご)のふちんぞと。ウ ハル 女房諸共姫君をおしかこひ。隣(となり)をがは(39ウ)とけやぶつてぐつとぬけたるかべあつき。ウ 氷(こほり)の様成だんびら物さし出ス首をかたはしから。色 キ、〳〵〳〵ウ きりならべんとかべにそふてぞ

色 つゝ立たり。

詞 うんこくこゑをかけヤア〳〵是ぞおとに聞。土佐が弟子吃(ども)の又平めがすみか也。たゝきこぼつてさかして見よ。地ハル 承ると一ばん手取ッた〳〵。色 とつた〳〵とどつとよせしがしどろに成て引かへし。ウ 色 詞 なふこはやすさ

まじや。何かはしらず家内には人大ぜいみち〳〵て。あるひはやつこの形(かたち)も有又は若衆女も有。人間計かさるゐのし丶わしくまたか。（40オ）爪(つめ)をとぎ立眼をいからしよりつかる丶事でなし。なふ〳〵いや丶と身ぶるひししたをまいてぞおそれける。

何をぬかすうろたへ者。人三人共すまれぬあばらや何者か有べきぞ。さつする所見せにはつたる三文ゑをいき物と見ちがへしか。こはいと思ふ心から眼がくらんだこしぬけ共。それ〳〵しとみをこちはなせぬるい〳〵とげぢすれば。とび口ひつかけゑいや。〳〵となんなく見世をはなしける。内を見ればふしぎやないひしにちがひもあらやつこの。かげ共わかずまぼ（40ウ）ろし共まだほのぐらきあかつきの。鳥毛の鑓(やり)さきそろへしは土佐が魂うつしゑの。せいれい也としらばこそ我も。〳〵とかけむかひ。うて共つけ共手にとられぬ。露の命を君にくれべいと。そめしだいなしきらひなし相手ゑらはずふせぎたり。

雲谷が弟子はせべのとうがんかずにもたらぬかすやつこ。我にまかせとまくりか丶ればかたはだぬいだる

立がみ男。大盃をひらり。〳〵とひらめかし。みけんにふつたるたうがらしヲ、から。ヲ、からからにし
き。あや（41オ）めもわかずひつかへす。
地色ハル
師匠のうんこくたまりかね。かたはしより打みしやぎ手なみを見せんととんでかゝる。やさしややさ者の。
女わざにはきどくづきん。ふぢのしなへをおつ取のべ。ひんまとふてはたと打。しと、打をひらりとはづ
しうけつ。ほどいつあさ衣のたまだすき。
地色中
かひ〴〵しきわかきほうしのあらはれ出。いさみかゝれる有さまは。なみやなまずのへうたん〳〵。持て
ひらいてはちたゝき。たゝけばすべりうてばすべりぬらり〳〵と手にたまらず。（41ウ）あぐみ。はて、
ぞさゝへたる。
地ハル
ふわが郎等犬上団八。そこのき給へ人々と。打て出るやうつゝのやみの。ざとう一人とぼ〳〵と。とぼつ
くつゑをふり上。〳〵めくら打にうつてげり。あまさじ物とつゞいてかゝる。団八が弟犬上三八。二八計

の小人まくらがへしのきよく枕おつ取。〱はらり〱はら〱〱。打なみ枕かず枕まくら重(がさね)に打みだれ。ちり〲にこそ引たりけれ。

地色ハル 伴左衛門いかりをなし手にもたらぬざう人原。しや何事か有べき武士の刀のあんばい見よと。ま一もんじに（42オ）かけたりけり。あらすさまじやこはいかに姿はしやもんかしらはきじん。おにの念仏かみくだく。きばをならし角(つの)をふりむかふ者のまつかふ。しもくを持てたゝきがねくはん。〱。〱〱。みゝにこたへほねにしみ。すゝみかねてはひき足もはやふさあらたかわしくまたか。一どにさつと飛(とび)来りむらがるせいを八方へ。おつ立け立つゝき立〱。つばさのあらし夜明のかぜわしのこゑ〱へあふ坂のゆふづけ鳥に。しら〱としらみわたればしらかみに。有し形(かたち)は彩色(さいしき)（42ウ）の。ゑにうつりたる筆のせい天こつの。めう共いつゝべし。

地色ハル 又平いさんで女房のそでを引。ものはいひたし心すゝんでしたまはらずたゝウ、〱と計也。エ、こゝな

人。敵がつめかけ事きうな。まはらぬしたをいはれぬことまひで〳〵といひければ。ヲ、それよ〳〵きが
付ィた。今目前(もくぜん)のふしぎを見よ。我等が手柄(てがら)でさらになし。土佐の名字をついだる故師匠の恩の有がたさ
よ。敵の中へかけ入て命かぎりに追ちらさんと。大ぜいにわつて入西から東北から南。（43オ）くもでか
くなは十もんじわりたておんまはし。さん〴〵に切立られ。さしものぐん兵たまりかね八方へにげちつて
残る者こそなかりけれ。
さあしてやつた此上は。エ、〳〵〳〵こゝにはへんしもかなふまじ。都のかたへと姫君を
ヲ、〳〵〳〵〳〵あふ坂山のほとゝぎす。まだはつこゑの口はどもり心はてつせきかなおとがひに。まさ
つたすぐれたこへたとうげは日のおかの。石はらくさはら足もしどろににどゝ〳〵。どもりまはつて
の、〳〵〳〵。のぼりける（43ウ）

第三

かしこきもいつしか色を菓鳥(このみどり)。さとはみやこのひつじさるかよひたらぬぞ三すじ町。ゑもんがばゞの一方口まだ大門のおそ桜(さくら)。しのびてひらけ一ばんもんの東がしらむドン。どんと打たるたいこのばんた。何者やら大門口にきられてゐるとよばゝるこゑに。くつわやあげや茶やおろせくるはのとしより立合。見ればとしごろ三十ばかり（44オ）くつきやうの侍。二つがさねのしろむくしろ茶うにぬいもんもみうらに。げんじぐものすそぐゝみなんばんごろの大小。ついの金(きん)つばけぼりはなみにさんわうまつり七所。ごもつまきゑのゐんろうあまかはさごじゆはさもなくて。大きづ五か所きもさきにとゞめ有といさいにかき付。くはんれう所へうつたへさせしがひをかこふよこばしご。二かいから女郎かひてやり手のかめはくびのばし。松はねほれたかほ出しまだおき〳〵（44ウ）のかぶろ共。つねやいくのと手を引ふねもはしつてきて。へいにくらかけ木に取付かほる様あれ見さんせ。吉野様のだいたんなはきだめ山へのぼつて。ゑびのかはで足つかんすなついたら大じか。きられてしぬる人さへ有とあだ口々のやかましさ。

詞あのきられてゐる人はかづらき様の大じん。ふわの伴様に似たじやないか。ほんにそふじや伴様にきはまつた。サア伴左衛門がきられたと京わらんべの物見だけく。（45オ）手おひ見がてらけいせい見にくんじゆはおしもわけられず。

地ハルすはやけんしと人をはらひくはんれうのざうしき。供人引ぐししがいをといてきづあらため。江州高嶋のしつけんふわの伴左衛門にきはまつたり。扨此者のかふたるけいせいは何といふ。ゐしゆ有者の覚はなきか口論などはなかりしか。まつすくに申せ当ぶんかくして。後日にしれなばくせ事也とぞ仰ける。年寄罷出。かんばやしのかづらきと申大夫を。（45ウ）千二百両にて受出さるゝはづの所。なごや山三と申浪人衆とかづらきと。行すへふかいやくそくとてだんかう成かね申せし故。両方ゐしゆをふくみゐられしが。是ならで覚候はずとつまびらかにぞいひわくる。ざうしき一〻口がきし。なごや山三は浪人なれ共もとは伴左とはうばい。かた〳〵大じのせんぎ也先かづらきがやり手をよべ。やり手出ませとよぶこゑに玉はおく病(びやう)としより也。やらおそろしやわしが出てなんといはふ。しばられ（46オ）たらどふせふぞ。なふかなしやめがまふた気つけはないかと泣ゐたる。

是ではらちがあくまいどれぞきてんなやり手しゆを。頼んで見んといふ内に出ませ〳〵としきりのつかひ。エイ思ひ付た一文じやのわこくに付てゐる。みやといふやり手は越前(ゑちぜん)のつるがで。とを山とよばれたぜんせいの大夫。恋ゆへ今はあのていすゝどげなふてちゑまん〳〵。ゑんまのちやうでもいひぬける此みやをたのまふ。あれ〳〵あ（46ウ）そこへ大ふく帳かたげてくるは。みやじやないかといふ所へおしよぼからげのいそがしげに。皆さん是にござります。まあ〳〵きやうとい事ができまして。御くらうでござんすと

〔地ウ〕いひすてとおるを〔色〕是々おみや。〔詞〕けんしの衆かづらきがやり手をめさるれ共。玉はぐどんでおく病（びやう）也。何をおとひなされふやらいひおしへてすまぬ事。くるわ中の頼みじやかづらきがやり手に成て出て。うけへんとうをしてたもおんにうけふといひければ。（47オ）あのしがいのそばへ出る事かヲヽゑづ。さりながらいやといふもし〔地ハル〕さいらしいひそこなふたら大じか。〔ウ〕口にまかせてやつてくれよてん〔フシ〕ほのかはとぞ出にける。

〔詞〕ざうしきかなぶちよこたへ。おのれはかづらきがやり手めか。用有てめし出すに何としておそなはる。おうちやく者きずい者とかさをかけてしからるゝ。ア、あのさんはいのあたまからしからんす。なんのきずいでごあんしよ十二人の大夫様をひとりして（47ウ）まはせば。〔地ハル〕べんけい〔ウ〕やり手がいそがしさくぜつの中をおしへ〔ウ〕だて。打者わ〔ウ〕ざにてかなふまじと日にいくたびのわびことやら。よるの身持はあげやのすいもの同前（どうぜん）。ちよつちよとざしきへ出るたびに一はいつゝものむ酒に。ふら〳〵〔ウ〕ねふりのいきたをれ朝から晩（ばん）まてひのはかま。花色じゆすのきんちやくも。中は秋の夜の長ひも。さげたかぎのあなから天をのそげはほの〳〵あけ。よね様たちの身じまひふろのてうづのかみ（48オ）あらひの。なべよしやくしようすよきねよ。正月しまへばせつく朔日けふは二日のはらひ日也。やひともすへたしうはらたつも、せなかにはら。しやうばいにはかへられずかは切こらへて出る心。其やうにいはんすなくるわは諸国の立あひ。じやうぢう切てのはつてのと是程のけんくわは。おちやこの〳〵茶のこぞや。ア、ぎやうさんなと笑ひける。

ざうしきいかつていやさおのれが身の上はとはず。（48ウ）此伴左衛門千二百両にてかづらきをうけ出すとな。けいせいはうり物ねだんきはまる上からは。なごや山三がさまたげいふてもかなはぬはづ。しかるをいらんにおよぶとはうぬらがもがりとおぼへたり。切リ手もしらいでかなはぬはづ。まつすぐに申せと詞あらくとひかくる。少しもおくせずゐしやくして。御意の通りうり物とは申ながら。神仏のほうがとおなじ事で。かね出しながらおがまするはおそらくせかいにけいせいばつかり。かふてくれるが（49オ）うれしいとて親がゝりやお主持の。恋路のやみの一すんさき見へぬ所をそばから見て。かひてのお身もすたらず女郎ものぼさぬ様に。かぢを取が引ふねめのさやはづすがやり手のやく。大事にかけるせうこには世間に心中十ヲあれば。くるわに一つ有かなし。伴左様は御大身おかねにふそくも有まいが。御主人のおみゝに立。お身のかいとも成時は御一門のひやうぎにのり。人をはぐのだます（49ウ）のとおつる所はくるわのなん。こゝのいきを立るが色里のたしなみ。身うけのだんかうやぶれたも伴左様のお身の上。大事に思ふ上の事でござんす。道できられさんしたはそこ迄は存ませぬ。さだめししにとも有まいし尤にげても見さんしよし。そこにぢよさいも有まいがさきの相手がつよいか身の取まはしのわるさかしらんでやんすとこたへける。

けんしの人々もてあつかひよいは〳〵もふだまれ。一時にせんぎ成がたし（50オ）しがいを酒にひたしおき。後日のひやうぜうたるべしそれ〳〵とてやく人共。おけをしつらひしがひをおさめ。酒くみ入てなはがらみフシろうやへやれとかき上たり。
詞ざうしきかさねて。年寄。〱。しやうばいなればけいせいにはかまひなし。さりながら夜前よりのかひ
手共事すむ迄な所を。一々にかきとめよこりややり手め。地色中かさねウのせんぎには水をくれる用心せよと。ハルお
どして立共おぢもせずエイ色おかんせ。詞かねくれる（50ウ）やり手に水くれる地ウとはわるごうなと。ハル笑ひをし
ほにいひじらけさきをはらひて立かへる。けんゐを見せてつきならすかなぼうのおと三みせんに。引ウかは
りたる三すじ町恋の。市ばと　三重〽なまめかし。
フシなごや山三。春平は。中かよひなれにし六でうの。ウ道には石がいくつ有迄。よみ覚たるウ一くはん町の茶やノルフシが。
ハルよしずの。ヒロイよしやよし。地色中里になげハル打命ウぞと。大門口の与右衛門も門ばんには二代のこうゐんたいらの供し
て口かるフシくまひづる（51オ）屋にぞ入にける。
地色ハルていしゆ伝三をウ始としあまたの女郎やり手迄。ウ是は〱様子はお聞なされふが。先四五日もお出なされぬ

がよいはづ。日ごろいしゆ有伴左衛門きり手はなごや山三じやとどこ共なしの取ざた。かづらき様のおあんじ我等ふうふのきづかひ。此おみやがべんぜつでけふはずらりとやりましたが。伴左衛門がしがいをならづけにして後日のせんぎ。ことにおきやくのな所かきしるせとのいひ付。お身に（51ウ）覚がなふてからせんぎまんぎもやかましし。おまへをとざまへつくばはせて此伝三が立ませぬ。帳めんにとめぬまに先おかへりといひければ。

いや伝三そふでない。お手まへこそねんごろ。くるわ中女郎衆へくらうをかけた此山三が。せんさくに合かなしやとかゞんでゐる程ならば。さと通ひもよねまじりもあたまからせぬがよし。先わこく様からお礼申ス。大じのやり手をおかしなされ忝い。扨みやのはたらき心ざし詞の（52オ）礼はいふ程ふるい。三千石とつた山三が手をついてづをさげる。ひたひに千石両の手に二千石。主人のほかに一生に。此しきさほうはみや一人是が礼ぞと手をつけば。

詞ア、もつたいないなんのお礼が入ませせふ。ちよつとかづらき様にあはせていなせましたい物じやが。わたしがいけばめにたつ。わこく様一ふでしんぜて下さんせ。いやふみもいかゞじやわたしらがじきにさそふて。あそびに出るかほでつれまして（52ウ）きませふ。地ハルサアみんなござんせと座敷（ざしき）フシをこそは立にけれ。

地色中然らばこゝは人もくる。ハル二かいへお通りなされといへば。中詞ヤレ何がこはふてかくれふぞ。伴左衛門をきつたるはたれとか思ふ。此山三が手にかけ討てすてたるぞ。かづらきがいしゆはわづかの事かれめとはうばいたりし時。かのゝ四郎二郎を身が取持にて奉公に出せし所に。伴左衛門親子雲谷（うんこく）といふゑしをひき。御在（ざい）京のお供のるすむじつをいひかけにんじやうにおよび。四郎二郎は（53オ）行がたしれず。あまつさへげしやくばらの姫君いてうの前。四郎二郎に心をかけ御しうげん有はづを。さまたげ入てらうぜきし某迄もざんそうし。浪人（らうにん）の身と成たれば重々（じうく）のいこん有。ことに四郎二郎はかくれもなきめい筆（ひつ）。大内ゑ所のくはんにもすゝむ身を。某しゐて国にとゞめなんぎをかけて見てゐられず。姫君とふうふになし四郎二郎さへ出世すれば。本もう〳〵いけてをかば四郎二郎にいか成あたをかなすべきと。（53ウ）けいせいのいしゆを幸に討てすてたる伴左衛門。地色ハル しれてせつふくする計四郎二郎故にすてん命。いさゝかおしいと思ふにこそぶけに生れたふせうには。ウ 大門口で立ばらきり新ざう衆やかぶろ共。しばゐでするよな事して見せふヤアかづらきはどふじやの。ていしゆうたへと三みせんのてんじゆにかほを筋(すじ)かひ身。いとのね色もウ めの色もフシ 人をきつたるていはなく。

地色ハル ていしゆはけつく色ちがへウ 先おはなしはいらぬ物。内外(うちと)の者共（54オ）かならずあだ口聞まいぞと。わなく〳〵ふるひ手じやくにてフシ めつたにのんでぞゐたりける。

地色ハル みやも聞よりウ おどろきて扨は我二世迄と。思ひこふだる四郎二郎様にウ かくまでふかきおんを見せ。ウ お命をもすてんとは中詞 ア、頼もしや忝や。我こそとなのつて一礼いはふか。いや〳〵。姫君とやらへきこえては。御しうげんのじやまぞととをざけらるゝはしれた事。地色中 たゞよそながらあのおかたのために成。ウ おいのちを

（54ウ）たすけるこそ我おつとへの奉公と。思ひさだめてこれ伝三様。お侍のかくごのうへをおなごのれうけんすいさんな事ながら。あのさんにはらきらせおんをうけた四郎二郎。いづくのうらで聞付てもよもやいきてはゐられまい。人のゆかりはしれぬ物どれからどれへどふつゝて。たがかなしみとならふやら山三様のお身のなん。のがるゝくめんは有まいかしあんは今でござるぞやと。よそをいふのもおつとのこと。あんじてあまる（55オ）涙の色むねなでおろすも道理なり。

ヲ、わがみがいふ通り。おつ取てくるわのめいわくおしおきには法が有ル。はら切たいとおつしやつてもよふあたゝかに。見ぐるしいざいにあはた口下からどふもはかられぬといへば。山三はつとして。ア、よい所へ気がついた。三みせん所でないはいの。相手は主持こちは浪人あばれ者にしなされ。みゝつくのとまつた様にさらされては。せんぞ一家のちじよく。今さつはりとはら切ても。其だん（55ウ）からはしがひ迄いよ〳〵はぢはおもう成。エ、主もたぬ身のむねんさよとはぎりを。してぞ涙ぐむ。

みやは聞ほど我男の。身にせまりくるかなしさのどふぞよいふんべつして。しんぜて下され頼みますと身に引かけてなげくてい。ていしゆしばらくしあんし是々よいしよう有。こゝへよりやと小ごゑになり。是をついでにかづらき様を。とんとうけ出しおく様にさだめる。時におやかたとはだを合せ。手がたの日付を（56オ）とつとあとの月にして。とざまへはしやくたく見たてのその間くるわに少しとうりうぶん。すれば御ふうふといふ物よ。きのふ迄伴左衛門が。くどひた状文にぎつてからはまおとこのしやうこたしか也。めがたきうちは天下のおゆるし千人切ッてもきりどく。此ふんべつはどふ有ふみやは悦びヲ、できた〳〵。めでたい〳〵ちゑしやめとあふぎ立れば。

ア、むしやうにめでたがるまい。当ぶんうけ出すおかねがない。もし（56ウ）お腰(こし)の物をそれ迄の質物(しちもつ)につかはされば。私がかはんで大夫様をたつた今門を出して見せませふが。お侍におこしの物とはなふおみや。どふも申かねるはいの。ハテおぬしのお身計か不便(びん)になさるゝ四郎二郎迄。命を助かる事なれば御了(れう)

箇(けん)あそばしませと。手を合せるやらなげくやら山三も共に涙をうかへ。ヲ、何か扨〳〵。皆の衆にくらうをさせ。何しにいなといはふぞ近比過ぶん千万。コレ是は重代のさもじ。二千五百貫の折かみ有。おししとは思はね共。(57オ)七才のときより今日迄ついに脇(わき)ざし一本で。たしよにゐた事しらぬ身が刀のみやうがにつきたかと。涙は雨やさめざやのわきざしへ計でおくに入ル

うしろ姿を。見おくりておいとしや〳〵。伝三様どふぞ首尾(しゆび)して下さんせ。まきぞへが入ならばわしがしゆすのおびも有。八丈(じやう)のあはせもござんすと。なげゝば共　になきごへのヲ、きどくによふいやつた。おれも男じやきづかひすな。かゝをそうかにうつて也と。らちをあけぬといふ事はなひて出るぞ頼もしき。

(57ウ)

あひのやま

みやがうき身の。うき思ひ。口でいはねばきにつかへめにながるゝは百ぶ一。むねに涙のとゞこほり山三様にほねおるも。男の心のかなしみを。思ひやり手と成たるものらぞんざいでなられふか。こひがこふじてとをやまが此ざまになつたとは。しらぬかきかぬか男めがどこにゐるやらしんだやら。なしもつぶてもうつとりとたばこのん（58オ）でもきせるより。のどがとをらぬうすけふり。人の見ぬまに思ふほどなくをしよざいか。あぢきなや。

内をしゆびしてかづらきはしつてくるよりかけあがり。みやどのこゝにかいかひせはであつたげな。かたじけないぞや土になつてもわすれはしませぬ。おれが心をさつしてたも。ほんに〳〵物日なかにやせたはいな。こなたは今はなんのくもなふてらくであろ。やり手の身はうらやましい（58ウ）やま様はおくにかの。ちよつとあふてこふぞや。のちに〳〵といひすてゝゆくを見るにもなを涙。

つらいぞういぞといふうちにも男をそばへ引つけては。うきをしのぐもちからがある此身にはくも有まひ
とや。あけくれつきあふ人めにさへらくなやうに見へる物。おん国へだてた男気におもひやりのない事は。

むり共いはれずさりとてはせめて有しよがきゝたいとこゑを。立ねばないじやくり。

気もしづみ入（59オ）ときしもあれ心ぼそげなこきうのこゑ。あはれもよほすあひの山われに〳〵なみだを。

そへよとや。ゆふべあしたの。かねのこゑじやくめつ。ゐらくとひゞけどもきゝて。おどろく人もなし。

とをりや。たゞのときさへあひの山きけばあはれで涙がこぼれる。かなしゆてならぬどうぶくらに。あた
きゝともないとをりや。〳〵といひて涙をおしのごふ。

のべよりあなたの。ともとては（59ウ）けちみやく。ひとつにじゆず一れんこれが。めいどのともとなる。
ア、したゝるい手のひまがなひ。とをりや〳〵といふこゑに心にくのないしんぞうかぶろ。ばら〳〵とは

しり出。こちらすきじやあひの山。きいてなきたいしよもう〳〵と立かゝる。ヱ、いぢのわるい子どもじや。それほど何がなきたい事。やつていなそときんちやくのひもをといて取出す。ぜには一せん二世のゐんきれてもきれぬ（60オ）かさのうち。なきしづみたるかほ見れば。こひしゆかしの四郎二郎たがひにハア、。ハア、と計にめくれ。心はしみ〴〵と。だき付たふもあたりにはかぶろがめもとこざかしく。こらへるたけとつゝめどもむせびふくろびなきゐたり。

ア、いなせましたらよい物か。まちつとあはれな心をうたふてきかせて下さんせ。あつと涙にするさゝらこきうのつるもほそきこゑ。さだめなきよに。すてられて身のじやく。めつがしらせたくふみは。かけども（60ウ）たよりなし。ひとりねざめの。ともとてはゆめに。見たよのおもかげがこれが。　ねざめのともとなる。

おりしも二かいおくざしきこいよ〳〵と手をたゝく。あい。〳〵〳〵とかぶろ共。たつまおそしとはしりより。是こふしたこともあらふかとうき命をすてなんだ。よふかほ見せて下んせと。すがれば男もいだきしめ涙の。ほかはこゑもなし。なふこひしいのゆかしいのとはたいていこひぢのならひぞや。そ（61オ）れをとんと打こして主おやかたにそむきしゆへ。ならふしみまでうりわたされ今此京でやり手となり。花のみやこも我身にはきかいがしまにすむ心。ひゞしもやけにくるしみても手足のくらうはなりもせふ。心をいためる計じやないちからわざにもさいかくにも。かなはぬものはあひたいと。思ふてやるせがなかつたとあまへ。くどくぞふびんなる。

四郎二郎もつきせぬ涙ヲ、だうり〳〵いとをしや。たび〳〵文でも（61ウ）いふ通り。そなたのかげにて大事のゑをかきほまれを取。けいやくたがへず身うけをせふと思ふまに。ふりよの事共命が有といふ計。おんをきたなごや山三我等ゆへのらうにん。ゆくさきも〳〵めでたいといふじはかきやうもわすれて。今はあふぎうちはのゑあしやがまのしたゑにろめいをつなぎ。大津でとへばならにといふなにはできけば

ふしみとやら。これはうねめうたのすけふたりのでしのかいほうで。まる四（62オ）ねんめにかほを見て
うれしい事はどこへやら。おれといふものないならばとふによいしあはせ。まへだれかぎはさげまいとお
やごの事まで思はれて。いきた心はせぬぞとて男なきになきければ。
ナウそふ打あけてくだんすがほん〴〵の御しんじつ。わしはいつそおやのこと思ふ所へいかなんだ。わた
しにはちがあたらずはあたるものは有まいと。くどき立れば四郎二郎二人のでしもとも涙。さゝらの竹も
いにしへのしちくにそむる計也。（62ウ）
や、有て四郎二郎先いふべきは。なごや山三春平此所にてふわの伴左衛門を討て。せんぎにあふよしらく
ちうのこれざた。いこんのもとは某故聞すてゝおかれぬあいさつ。くるわのせつはどふぞといへばされば
いな。くはしいことも聞ました山三様にするせわは。こなさんへの奉公とさま〴〵心をくだいてなんのな
みかぜないやうに。十の物が九つおつ付らちがあくはづで。あれおくにじやはいな。是は大けい先ッ通つ

てたいめんせふ。イヤ〳〵またんせそりやならぬ。こな様をたづね出し。（63オ）姫君とふうふにせねば
侍がすたると。今ンも今いふた人にあはずといんで下さんせ。エ、ぐちなこと計。我故に一命をはたさふ
といふ山三じやないか。あはずにかへつてにんぐはいの名をとれか。げしうあはせまいなればこゝではら
をきらふかと。わきざしに手をかくるハテしなんせではないはいの。外におく様持まいといふせいもん立
てあはんせ。ヲ、姫君は扨おきたとへもちやのおふくでも。山うばと祝言するとても山三が詞を一たん立
ずにおかれふか。（63ウ）エ、世間見た様にもない気がせばいぞやとはぢしむる。世間はから迄しつても
気はむさしの程ひろふても。大じの男を人にはそはさぬ。山三様にあふて四郎二郎が女房は。此みやでご
ざんすと罷出てことはらふ。ヲ、いひたくばいや詞の中にわきざしを。此はらへつきこむサアどふぞ〳〵
とつめられて。泣より外は何をいふも大切さ。そんならいふまいそくさいでゐてくだんせ。去ながらどふ
ぞいひぬけらるゝなら。いひぬけて見て下んせとまだぐど〳〵のしのびなき。尤々男のつゝ役。かふいふ

とてなんのぢよ（64オ）さいが有物ぞ。弟子衆こちへと涙ながらおくへ行間も〔中〕おしまれて。〔詞〕是うねめ様うた様。祝言のはなしが出たらいひけして下さんせと。〔地ハル〕頼ム返事（へんじ）のいやおふは〔フシ〕涙にまぎらし入にけり。〔中〕心元なさあぶなさに心さはぎて〔ハル〕おち付ず。〔ウ〕ふすまのきはにさし〔中〕足し。〔ウ〕立聞すれば伴左衛門を討とめた〔色〕物語。ア、〔詞〕うれしや女房ごとは出ぬそふな。まちつと聞ふあのさゝやきは何じやしらぬ。聞たい迄とみゝをよせ。ア、かなしやつれてかへつて姫君とめをとにせふといひくさる。こちの男がりこうそうに。こな（64ウ）たの詞はそむきませぬと。〔地ハル〕ぬかしづらは何ごとじや。エ、聞〔ウ〕まい物をはらの立と。みゝをふさいつ立つゐつ〔フシ〕身をもみなげくぞあはれなる。〔地色中〕まひつるやの伝三郎〔ウ〕やり手引舟下男。〔ハル〕いきりきつて〔色〕大ごゑ上。〔詞〕こりや〳〵かづらき様の身うけさらりつと埒明（らちあい）た。跡の三月二日に隙（ひま）をやるとの一札。王様の御りんしより高直（かうじき）な物にぎつた。乗物（のり）の戸をくはらりと明て今でも大門お出なされと。〔地ハル〕わめくこゑに人々悦び〔色〕走（はし）り出。ア、お手柄〳〵〔ウ〕酒呑童子の首より〔色〕取にくい事。主持ぬ身はこゝが過分(くはぶん)（65オ）手を引合て門を出て。なごや山三とかづらきと後々迄のはなしを残さふ。ヤアていしゆ近付になつておきや。かの、四郎二郎元信(もとのぶ)めぐりあはふ計に。たがひのくらうはしる通身はかづらきをうけ出す。四郎二郎は大名の御姫様をほり出す。祝言の夜はかつ手へ見まや。扨みやの礼は今は申さぬ前だれかぎをすてさせ。ぶけかくげか町人かのぞみしだいにかずならね共。拙者が親ぶん先姫君のしうげんには。まち女郎に頼もふといさみかけてもなげ首に。めもなきはらしてへんじも（65ウ）せずこらへかねてつゝと出。いはんとするを四郎二郎つかに手をかけはらをさすれば手を合せ。なく〳〵しされどなをたまられず思ひ切ていはんとす。四郎二郎むねおしあけすでにかふよと見せかくる。ア、申四郎二郎様。わたしやなんにも申ませぬ。御そくさいで姫君とめをとになつて下さんせとわつとさけびふしければ。

ともにせきくる四郎二郎ヲ、よいがてん〳〵。惣てくるはの衆は涙もろくめでたい事にもなきたがる。身うけする女郎衆になごりおしいは尤ながら。たこくへ（66オ）ゆかずしにはせず。追付あはふなきやるなと。よそにいふさへつゝみかねめはうろ〳〵と成にけり。

サアお乗物が参た早ふおいでなされませ。いや〳〵乗物ふるいと立出れば。一家の大夫天神かこひかづらき様さらばや。さらばでござんす門迄おくれあとにぎやかし。打たりまふたりまひづるや伝三が万うけこんだ。おきみやげをやり手しゆおはるおなつといさめ共。みやが心はあきがらのこしのきんちやくぶら〳〵とものさびしげにぞ見へたりしたがひの。心ぞあはれなる（66ウ）

第四

みちとせとよみたる桃のゐだはまで。しげれる比もはや過て娘のとつぐよめり月。いてうのまへの御祝言なごや山三のはからひにて。四郎二郎元信を北の丶しやにんにかりざしき。なごやが家の子よつぎ瀬兵衛こしぞへにて。供女中の出立や。地黒地あさぎべにひわだうこんのば丶にぞつき給ふ。なみ木の桜くれか丶りまだ人がほも。白むくきたるわかき女のよこあひより。(67オ)よめりの供さきおしわり〳〵打もた丶くもこと共せず。しつかとすがつて引ほどに乗物の戸はくだけてはなれ。姫君あつとさけび給ふをむなぐらつかんで引きずり出し。どてにおし付ひつすへたり瀬兵衛刀のそりを打。六尺かち衆おつ取まはしそこをはなせはなさずば。ぶちころせねぢころせと口々によばはれば。姫君せいしてア丶だまつてゐやかまやるな。よめりする身に女のざいで只の事とは思はぬ。四郎二郎殿の手かけか但時のたはふれに。(67ウ)末では妻にせふなど丶男の当ざまに合を。一すじな心から其恨てかな有ふの。我身にしらぬ事ながら。殿を持役なれば聞まいとはいはぬ。道理さへ立事でまける道ならまけもせふ。又筋もない道いつて見や我にも手も有足も有。いてうのまへがりふじんといはれてはおとなげない。相手むかひにしておきやサアなんぞ聞ふと。口はろくぢをわけながら。むねはしどろの山坂やかほはつゝじのごとく也。
女ためいきかほを上。ア、さすがでござんすな。其うつくしい出やうには。こふ取たむなぐらをはなしや
うにこまつた。我とてもなか〳〵らうぜきする気は（68オ）みぢんもなく。お乗物にすがつてなげきを申
お情をうけふと。七本松から跡先に是迄うかゞひ参りしが。あたまのかゝりがどふもなく思はすりよぐは
いいたせし也。ぎやう〳〵しい白むくきたは討はたしてのなんのといふ。おどしでもみせでもない思ふね
がひが叶ずは。西勝がはらか舟岡へすぐにとばふと思ふきで。わたしが為のしゆら出立高いもひくいもお
なごには。大なれ小なれ此気はあれどいはぬでもつた世の中。色に出さぬをたしなみと心で心をしかつて
見ても。いか成欲もはなれふ（68ウ）が男に欲はゑはなれぬ。去とてはきたない気。はづかしゆござると
こへを上わけをも。いはず泣ゐたり。
瀬兵衛を始女房達御祝言のじこくちがふ。道行計いはず共。入こと計申せ。〳〵とせめければ。ヲヽ御

尤〱私は土佐の将監が娘。おさな名はおみつ親のうきせに身を売(うり)。越前のつるがでとを山と申せしなが
れの者。四郎二郎殿とは故有て。きしやう一筆か丶ね共釘(くぎ)かすがいよりはなれぬ中。身も持くづし方々を
うろたへ。今は六条三筋町かんばやしが内みやといふ。ながれの身（69オ）よりあさましいやり手はして
もおのれやれ。一どはかの丶元信が内義といはれふ〱と。四年が間の気のはり弓はつたりとつる切レて。
なくにも力あらばこそむり共よこ共あまりむほうなことながら。ながふは入らぬ一七日こよひのよめりを
下されば。あとはお前と万々年七日そふてわかれて後は此世のいきがほ見せまいし。たとへしんでもあの
人のみらいのゐかうはうけますまい。もふ此跡は申ませぬと。涙をながし手を合せふしまろぶこそあはれ
なれ。
姫君あきれておはせしが。きけば（69ウ）せうしいたはしや。いやといはばたいていどうよく者といは
れふず。心得たといふてからめいわくするは我ひとり。にい枕はどうこうときほひか丶つて行よめり。道

からかして帰るとははなしにも聞ぬ事。こちやぎりずくめに成たかとこゑを上て。なき給ふ道理の。上の
道理也。
やゝ有て涙をおさへム、よし〳〵がてんした。そなたが其思ひからは男も心にかゝるはづ。ふたりのゐん
のはなれぬ中へよめりしておかしうない。ふたもかけごも打あけたこそめをと（70オ）なれ。コレ男をか
してやる程にたがひの心をはらしてたも。去（さり）ながらあまりかけごをあけすごしそこぬきやつたらこちやき
かぬと。涙ながらにの給へばア、有がたやととを山は。姫の膝（ひざ）にいだき付かすお心よりかる心御すいりや
うあそはせと。泣ごゑよぞにとび梅の神もあはれみ給ふべし。
サアとてもならはやいがよし元信はかねてより。けいせいずきと聞し故此小袖を見やくるはもやうにいひ
付た。是きていきやと打かけぬいで七日と（70ウ）いふもいま〳〵し。来月一はいかすぞや。ア、お心ざ
しは有がたけれどついにわかるゝ此身也。然らば七々四十九日が中はわたしが妻とおぼしめせ。此ぶんで

しんだらばさだめし男のがき道(どう)へおちませふと。泣々たてば姫君そふいふて皆すひほしやんなどこぞ少は残してたも。こちは是からこしもとつれてひろふてもどる。あの乗物で皆供しやと帰るさを見てとを山は。姫君様の情程我身のつみはおもうなる。かる時のぢぞうぼさつにすてられかへす（71オ）時のゑんまのちやう。どふいふてのがれふと。涙をかこふ神がきや神も仏も見通しに。すいもあまいも梅あをむ北のゝ。かりやに　〽よめ取の
よめの手道具。みづしきやう台(だい)うちみだれ箱。つゝらかひおけはさみ箱。長刀持せてやり手のみやが来るとは思ひがけもなし。其しんていのとゞきし事。姫君の情といひ。かた〴〵もだしがたければ門弟うたの介。うねめはやと大かくなんどむねとの弟子共。すべよくまかなひ春平にも内意をゑ。おもて向(むき)はいてう（71ウ）のまへ御入有しとひろうすれば。方々のゐんもつ樽よ肴よ巻物よ。太刀折かみの馬代銀五拾目がけのらうそくの。あけぬくれぬとにぎはひてけふ五日めのあさ上下。ざうにのこく餅子持筋つき〴〵〽し

くぞ見へにける

フシ 其日もやう〳〵。地ハル かたふく比なごや山三春平はお見廻申とあん内ある。色 詞 うたの介出向ひ。先以此度は姫君御了簡(れうけん)うつくしく。おみやも念はれ元信心もおち付申事。地色中 皆是貴公のおかげ門弟中も ハル 忝く。ウ 悦び存候と フシ いづれも礼をなしにける。

地色ウ 是は(72オ)めいわく元信為と ウ 存れば。ハル 各同然(どうぜん)の大けい。色 詞 扨けふは五日め五百八十の餅をついて。さとがへりといふ事ゐんへんのしきほうなれ共。親もとはゐんじよ祝ふて我等がたくへよびたいと。かづらきも申がちよつと尋て見たいとあれば。うたの介打わらひイヤたづぬるにおよばず。地色ハル やがてわかるゝ日切のめをとねいる間もおしいとて。かほとかほをつき合せかぶりもふらぬしたゝるさ。里帰りは扨おきだい所へも出られませぬ。ウ それはぎやうなくひ付やうそふして互にあかせ 色 (72ウ) 中 たら跡の為には ウ 珍重 ハル 元信筆は達(たつ)者(しや)也。一日一夜に半年の フシ しごとは出けふと笑るゝ。

地色中
かゝる所にむもんの色にあさぎの上下。ハルあみ笠取て入を見ればまひつるやの伝三郎。出口の与右衛門打しほれたるふぜい也。色なこやを始め門弟中けうさめて。詞是伝三あんまりそれはすいすぎた。聞ぬといふ事有まいそうれいのもどりに。祝言の家へ立よるはなめ過たふどうけ。おかしうないかへれ〳〵とにが〳〵しくしかられ。はな打かみてめをすり〳〵。姫君様の御しう（73オ）げんとゑんりよいたして見ましたが。わきからさたが有てはお恨の程もいかゞと。かゝが心を付まして。けふ七日めのはか参りついでながらのおしらせ。地色中つね〳〵きだてがけつかうで。おみやとはいはず仏〳〵と申たに。ハルあつたら仏をやくたいもない。こつ仏にしてのけたとさめ〴〵とスヱテぞ泣ゐたる。
詞人々さらに誠とせず酒にゑふたか狂気（きやうき）か。みやは少様子有て姫君にかはり。四郎二郎と祝言し。五日前よりおくにふうふならんでじや。たはけたことぬかすまい。イヤわたしをたわけに（73ウ）なさるゝが。七日前にしんだ人が五日前にくる物か。地色ハルれんだい寺せんよ様の御ゐんだう舟岡山ではいになし。ウわこく様ウを始女郎衆から名代に。かぶろ共がはいよせ五りん迄立た物。なんのいつわり申ませふとまがほにいへは人々も。ぞつとこはげも立よりて。してしんじつかどふしてしなれた事ぞといへば。しんじつかとはいとしぼげに。つねがしやく持ぶら〱とはしながら。一日とねられた事もない人が。いつぞやかづらき様身請のばんからづつうするとて引こんで。それから枕あがらず次第におもつてくる程に。おきやく衆のひき〱（74オ）で柳原の法印様。なからゐの御てんやく幸とわこく様へ。つしまのきやくから参つたてうせんにんじん。おはり大こん見る様なを刻もせず丸ぐち。人じんのふろふきを一ごの見始。人じんでもてつほうでもいかな咽を通すにこそ。もふないに極つて私をよびよせ。今迄はかくしたとを山といふた昔から。四郎二郎様とふうふのけいやくし。めでたふねがひかなふたら。めをとづれでくまの参りをいたさふと。願ひをかけ此かさのひぼも手づからくけました。是をきて四郎二郎様くまのへ参つて下され。しゝても（74ウ）心はつれ立ふかき置もしたいが。口でさへつくされぬ筆には中々まはらぬと。めをほつちりとあいてなむあみだ仏。〳〵と七八へんは聞ました。なふかんじんの時には念仏といふ物もなんのごくに立ませぬ。なむあみさへすう〳〵だぶつ迄やらずに。ころりと取ていきましたとわつとさけべは人々も。扨は定よと手を打て皆々袖をぞしぼらるゝ。

なごやもあきれゐられしが。うたがひもなくおつとにひかるゝこんはくかりにかたちを見せけるぞや。さもあれ様子を尋るため妼衆。〳〵とよびければあいとこたへておくより出る。なんとおみやはき（75オ）げんはよいかととひければ。アヽきげんよふにこ〳〵笑ふてござんする。去ながら心ざし有とて。さゝもとゝも口へよせずしきみのかうのけふりたやすな。けふりたゆればこゝにゐる事ならぬとて。おねまの内はまつかうでふすぼりますといひければ。して。四郎二郎はどふしてぞ。アヽさればおみや様の頼みで。おねまのふすまにくまの山のゑをあそばしてござんする。さてはみやのゆうれいうたがふ所もないとあれば。こしもとおどろきアヽこはや。なふしらひでそばにゐましたと。ひざのそばにはひよりて身をかゞむ

（75ウ）こそ道理なれ。

詞うたの介心をけつせんと思ひ。さもあれたぬきやかんのわざも有。誠のしゝたるまぼろしはかたちあれ共かげうつらずと承る。地色ハル某参りじきにあふて笠をわたし。ウともしびを立しつふをためし中申べし。ウかた〲は小ウ庭よりしやうじのかげを御らんあれ。ハルたとへあやしい事有共必わつといふまいぞ。何がこはいこと有とたれも口では夕ぐれや。こきみのわるきまがきが本軒(のき)にやふがのもちつきも。其まへたれのなごりかと心ぼそく色もたゝずめり。詞うたの介何心なき（76オ）てうしにて。是はくらいおざしきみや様はそれにか。火をとぼしたらよふござらふといふこゑす。ア、さればいな。心のまよふた身の上やみにやみを重ぬるつらさ。地ハルはらしてほしやと夕がほのたそかれてらすあんどうの。しやうしにうつるをよく見れば元信はもとの人躰にて。ウ女のかげは五りんとみやがハル物ごし計人間のちすいくはふうの風もろき。木のはにむすぶかげろふのフシつゆの姿ぞあはれ成。

地色中 四郎二郎はらう〳〵とつかれわびたるごとく也。うたの介なをいぶかしく。此すげがさはさとの使に参りしが。何に入事ぞと（76ウ）いへばなふうれしや〳〵。ほんに是がほしかつたわたしがくまのをしんずる事。つるがてはとを山三国での名はかつ山。ふしみへうられてあさかやま。山といふじを三どつき。それ故に木つぢては三つ山と付られし。思へばくまのみつのお山の名をけがし。ごわうのとがめもおそろしくおぬしと一所にして下さらば。つれ立お礼にまふでませふとかさのひぼ迄くけおきし。おつ付わかるゝ身なれ共一日でもかふそふからは。願はかなふた同前神仏にうそはないと。此ふすま戸にお山のゑづを頼みまし。参つた心でおがまんと思ふ所へ此笠は。どふした使に（77オ）きた事ぞよのことは何もいはずか。地色ハル 又の使に伝三殿へたとへいか成事有共。四郎二郎様へなげきのかゝる事などは。しらせまして下さんすなと。よふいひとゞけて下さんせと。こけの下まで我おつといたはる心ぞふびんなる。地色中 サアめをとづれて参りませふこな様はかつ手へいて。ごやのかねのなる迄ねんぶつきらして下さんすな。

にあふたかしらぬと笠打きたる五りんのかげ。五つのかりのゆめうつゝよその事ではなく〳〵も。もとのざしきへ人々はしうし〳〵のたむけぐさ。だいもくしんごん念ぶつのゐかうに。ふくるも　（77ウ）

みくまのかげろふ姿

あらおしやあたら夜や。ふうふのなかにさく花も。一夜のゆめのながめとは。しらぬおとこの。いたはしやと。なくよりほかのこと。はなし。むかしのあさの。身じまひに。かみにたいたりすそにとめ。そよとふくさの色かぜも。今せうかうに立けふり。はんごんかうとくゆるかや。かうろのはいの。はいよ（78オ）せもじゆんをいふならこなさんを。われこそあらめさかさまの。水のながれの身のならひ。ところ〴〵のしに水を。たれにとられんあさましと。よそに〳〵いひなす。ことのはを世になき人とは。そもしらず。ア、いま〳〵し。おひ木のすゑの。思ひおきはよしなやな。こちもそなたもわか松の。ちよのさかつきざゝんざ。はま松のをと。七ほんまつの七本を。女はそばにかぞふれど。男は（78ウ）けふの七五三。よめり事せしたはふれも今はまことゝうれしげに。手をひき。あふてわらひがほ。我はあさがほ。しぼみゆく花のうへなる。つゆとはしらぬはかなさよ。月はかけてもみつの山しやばの。たよりはかたびんぎふみもとゞかずことづてもいはで。心の。くまのぢや。てるてのひめのやつれぐさ。ひたち小はぎもおつとゆへ身をはたごやの水だなの。はしにめはなのがき（79オ）あみを。つまとはさらにしらいとの。ゐんはきたなきつちぐるま。心は物にくるはねどすがたを。物にくるはせて。ひけや。〱此くるまゐいさら。さら〱さゝのはに　しでのたびぢの。ごせのとも。一ひきひけば千ぞうくやう。二引ひけばまんのふのくすりのゆもとゝ聞からに。四百四病は。きへもせんほねになつてもなをらぬは。わしがそさまを　こひやまひ。かはる心をあんじてはかみの御なさへぞつとする。あす（79ウ）かのやしろはまの宮。王子〱は九十九しよ。百に成ても思ひなき世はわかのうら。こずへにかゝるふぢしろや。いはしろ峠しほみ坂。かきうつすゐはのこる共我は残らぬ身と聞ばいとしやさこそ我つまの。涙にくれて筆すて松の。しづくは袖にみつじほの。しんぐうのみやゐかう〳〵と。出じまによするいそのなみ。きし打なみはふだらくやなちはせんしゆ。くはんぜおん。いにしへくはさんの。ほうわうの。きさきのわかれを。こひしたひ。十（80オ）ぜんの御身をすてかうやさいこくくまのへ三と。ごしやうぜんしよのしゆくぐはんかけて。ほつしんもんに入人は神やうくらん御ほんしやの。しやう〳〵でんのきざはしをおりてくだりて。待うけ悦び給ふとかや。我はいか成ざいごうの。其ゐんゐんの十二しやをめぐるりんゑをはなれねば。うたがひふかきおとなしがはながれの。つみをかけて見るごうのはかりのおもりには。それさへかるきばんじやくのいはた川にぞつきにける。（80ウ）
すいしやくわくはうの方便にや名所〳〵宮立迄。顕はれうごき見へければ元信しん〴〵きもにそみ。我かく筆共思はれずめをふさぎ。なむ日本第一大れうげん。三所権現とふしおがみかうべを上てめをひらけばなむ三宝。先に立ッたる我妻はまつさかさまに天をふみ。両手をはこんであゆみゆく。はつと驚き是なふ浅ましの姿やな。誠や人の物語し丶たる人のくまのまふでは。あるひはさかさま後(うしろ)むき生たる人にはかはると聞。立居に付て宵(よひ)よりも心にか丶る事有しが。扨はそなたはしんだかと。こぼしそめたる涙より（81オ）つきぬなげきと。成にけり。

はづかしや心にはろくぢをあゆむと思へ共。さかさまに見へけるかや。四十九日が其中は。しやばのゐんにむすぼ丶れ。姿を見せて契りし物を。いもせの中にこはげ立あいそもつきばいか丶せん。かはる姿のつ丶ましや。あひ見る事も是かぎりと。なくこゑ計身をしぼる涙のとこの玉のうてな。れんりのはちすかたしきてながきちぎりをまつぞやまたん印(しるし)は是。此。一けんそとばゐうり三悪道。かげもかたちも文字にのこしてけふりと。きへてうせてげり。

元信夢の心地してぜんごをぼうじおはせしが。ハット（81ウ）心を取なをし。扨はしうぢやくぼんのふのこんはく此どに立かへり。地水火風をかりのかたち。ぼたんとうかのあだちぎり。せい女りこんのわをぬけて。ごだうのまなこに見る時は。此世もなくみらいもなし。ぢやうじうふだんのじやつかうど。なむやみくまのゝ本地の三そん。むかへ給へや道引給へと。ゑかうのこへはふせやにとゞめてむみやうの。夢はさめにけり

第　五

こうせいろゝんのようごんにもふぎにして富たつときはうかめる（82オ）雲の山かづら。夜もほの〲と明ゆく比官領のざうしき。ふわの道犬はせべの雲谷ゆういんし。伴左衛門がさけづけのしがひをかゝせどや〲と乱れ入。此所に名古や山三春平や有。官領よりの御下知有たいめんせんとよばゝつたり。なごや

ち丶せず出むかへば。ざうしきかなぶち引ならし。ふわの伴左衛門をお手まへが手にかけし事まぎれなき上。父道犬願によつて吟味をとげらる丶所とうぞくのざいのがれかたく。曲事におこなはる丶条めしとり来れとの（82ウ）御諚。じんぢやうになわをか丶られよとぞ仰ける。なごやすこしもさはがずくはいちうより。くつわの手かたすつうの文を取出し。か様のぐまうのへんとうは申もにあはぬ事ながら。片口の御さいだんいかにしてもかろ〴〵し。是此手がたを御らんぜ。かづらき事は三月二日に親方がいとまを取。拙者が本妻借宅（しゃくたく）見立の間。あけ屋にあづけおきし所伴左衛門すつうのゑんしよ。かくのとをり不義者の女がたき也。此方よりねがひを申。親道犬をもざいくはにしづ（83オ）めんと存ぜし折から。かへつて我等を召とれとはさだめてそれは名の聞ちがへ。それ成道犬か雲谷が事でかなござらふ。（地ウ ハル）にげもはしりもせぬ男。聞なをしてお出なされよと大様にこそこたへけれ。（フシ）

（詞）道犬つ丶と出きたない〳〵こりや山三。せがれ伴左衛門かづらきを請出す手付として。金子五百両くはい中せり。女がたき討は聞へたがなせ金子はぬすんだ。惣てぬすみといふ物もぬすむ時はうまい事。あらはれた時はからいにがい物じや（83ウ）げな。サアなんとのがるゝ所は有まいと。地ハル せうこなきいひぶんながらなごやも相手は死人也。何をしるしのいひわけとにが〳〵しくぞ見へにける。フシ
詞 四郎二郎かくと聞よりとんで出。いや〳〵とかふのひやうぎは御無用ぬす人ならばぬす人切取ならば切取。
地色ハル とが人はかのゝ元信。なわは百筋千筋でもおかけなされと。大小ぬいてなけ出さんとする所を。ウ なごやおさへてしばらく〳〵。色 御しんていかたじけなりながら。詞 それ迄に及ぬ事ひらに〳〵とおしとゞめ。コレ道犬。（84オ）某ぬす人でない申わけが立ならば。おのれ又侍に。ぬす人といひかけした其とがはなんとする。時に雲谷すゝみ出いやさ山三。ぬす人でない言わけたてば。命をたすかる其方が仕合よ。道犬公は一子をころされ金子をとられ。何のあやまり有べきと。いはせもはてずヤアうぬらが存ずるせんぎにあらず。おやかたにては一つ間へさへ入ざりしをわすれたか雲谷。地ハル 此せんさく相すんでうぬものがさぬ用心せよと。

色　詞
にらみ付れば道犬。山三〳〵わき道へすべらすまい。（84ウ）五百両の金子を身に付た伴左衛門。切はき
地ハル
つたがかねはしらぬといふてもいはせふか。ぬす人でないならばいひわけせよとつめかくる。ヲ、サいひ
色
わけはして見せん其跡はがつてんか。イヤまづいひわけからきかんずと。せりあへばざうしき是々なごや。
詞
もんどう迄もなし其為の我々。人にこそよれ両方共に弓馬の身がら。とうぞくといひかけふんみやうなら
ぬそせう。かつは上をかすむるおちど。いひわけたゝば道犬はぞんぶんにはからふべし。又とうぞくにき
はまらば下知の（85オ）ごとくお手前に。なわをかけ申とりひあきらかにのべらるゝ。なごやいさんで罷
出なごや山三春平は外の事はふてうほう。けいせいのかひやうと人きるやうは大めいじん。おそらくそう
地ハル
しやうござんなれそれ〳〵。伴左衛門がしがひを是へ出されよ。心へたりと役人共ふう切ほどき酒づけの。
フシ
しがひはさらに色かはらず只其時のごとく也。
地色ハル　色　詞
なごやはかまのそば取てちか〴〵とより。かれを討しは先月廿日。あかつき月の時鳥名乗かけしはだまさ

ぬせうこ。向ふ疵に切ふせ（85ウ）とゞめをさゝんとのつかゝり。むねをしひらけばくはい中に金子有。此まゝおいては誠のぬす人来つてさがしとらんはひつじやう。時には山三がぬすみしと後日のなんをさつせし故。きうびさきをゑぐつて。金子はきやつがからだの内はいのざうにおしこんだり。五ざうの中にもはいはかね同気もとめてくちもどろけもよもせまじ。いで見せんと手をのばし。ぐつと入レあけにそみたるどんすのさいふ。引ずり出して是見たか。是でも山三がぬす人か。（86オ）弓矢取身のしかたを見よと道犬にはつたとなげ付。しがいをふまへつゝ立ばざうしきを始として。元信其外門弟等出来た〱。あつはれ〱御ふんべつかうがく也といさみをなす。

道犬はごんくも出す雲谷はひるまぬかほ。相手のいひわけ立からは此方はきられそん。お帰りなされと立所を二人のざうしきとびかゝり。てつぼうふり上打程につらもみけんも打さかれ。胴ぼねくだくる計也やかてなわをかけさせ。道犬親子は世間るふの重罪上をおかす（86ウ）とがといひ。只今のしまつ諸人の見

せしめ。親子もろ共ごくもんにさらさるべし。それ〳〵しがいの首をうて。承つて下郎共かき首にに*して
たぶさをからげ。道犬が首にかけさせ扨雲谷は当座のりよぐはい。罪のきよぢういかゞあらんと有ければ。
元信春平詞をそろへもとはきやつめが悪逆。さうどうの始也古主のやかたにうつたへ。長袖なればるざい
におこなひ申たし。尤々二人共にらうやへやれと引立れ共すね立ず。エ、ひきやう者あゆまずは（87オ）
まかせておけに打入レて。いきながらの酒びたしぢごくのおにの中じきざいと。たわむれ笑ひ帰らるゝ悦
ぶ中にも元信は。うれへにしづむなちのたきみだるゝ色をいさめんと。うたへやうたへうたの介其外の門
弟中。うれへはうれひ祝義は祝義みらいのよめりは一七日。けんぜのよめは七百町ながく知行にすみ筆や。
家をさいしくゐのぐ筆くまふで。わら筆でい引筆其筆さきに金銀も。わきていづみのつぼのゐん。ならび
なつ毛のかのゝ筆末世の。たからとなりにけり（87ウ）

右伝ゆる所の正曲の調は節博士何も其品多し
七行和漢大字のかなつかひ迄世間あやまりてあざ
むく類板を出す甲乙てにはのたがひわつか成とても
正本にあらずこのゆへに西沢九左衛門義教改て梓
に寿く予花押の記を添る事しかなり

豊竹越前少掾

大坂心斎橋南四丁目西側　正本屋九左衛門板

解　題——今様傾城反魂香

◎底本　国立劇場（D2-4/丸いま）
◎体裁　半紙本　一冊
◎表紙　原表紙
◎題簽　無
早稲田大学演劇博物館（イ14-2-63）は原題簽「今様傾城反魂香　豊竹越前少掾直伝／正本屋九左衛門版」
◎行・丁数　本文七行・八七丁（実丁）
◎丁付　反　一～反二十二、反十九、反廿、反廿四～反五十五、反五十九、反六十、反五十八、反五十九、反五十七、反五十八、反六十二～反八十七（ノド）
◎内題　今様傾城反魂香
◎年記　無記載
◎作者　無記載
◎奥書　有
◎板元　（大坂）正本屋九左衛門板
◎番付　無
◎絵尽　無
◎初演　享保十七年五月七日　大坂豊竹座

『義太夫年表　近世篇』第一巻九五頁参照

◎主要登場人物

六角左京大夫頼賢　銀杏の前（腰元藤袴）
不破入道道犬　不破伴左衛門宗末
長谷部雲谷　名古屋山三春平
狩野四郎二郎元信　雅楽の介之信
傾城遠山（みや）　土佐将監光信
修理之介正澄（土佐光澄）　将監北の方
浮世又平重起（土佐）　又平女房
傾城葛城　舞鶴屋伝三

◎梗概

［第一］

（六角家在京の館）13頁2行目～18頁1行目

将軍家より六角家へ諸国銘木の松の絵を集める命が下る。六角左京大夫頼賢は枯れ失せた奥州武隈の松を狩野四郎二郎元信に書かせようとする。執権不破道犬の嫡子不破伴左衛門宗末は、御家の絵師長谷部雲谷に書かすべしとする。若家老名古屋山三春平は、長谷部雲谷、狩野四郎二郎をともに召し、その上で判断すべしと進言し、不破伴左衛門と対立する。

長谷部雲谷と狩野四郎二郎元信が召される。元信は雲谷が伝受によって描いたとする奥州武隈の松の絵が偽りと指摘する。六角頼賢は、元信に武隈の松の絵を描くことを命じる。また、偽絵を書いた雲谷は将軍家に対する六角家の不手際として許し、伴左衛門とともに帰国を命じる。

（越前敦賀　気比の浜）18頁2行目～24頁5行目

文亀の弥生、狩野四郎二郎元信は、雅楽の介を供に、天満天神の霊夢に導かれ越前敦賀気比の浜へたどりつく。里人に松の銘木をたずねると、色よい松すなわち松の位の遊女ではないかと言う。そこへ、遊女遠山が通りかかる。元信が名乗ると、遊女は勅勘を受けて浪人中の土佐将監の娘で、昨晩の天満天神の霊夢に、狩野という絵師に土佐家秘伝の武隈の松の図の絵本を伝授せよとの告があったとし、雅楽の介の立ち姿を松になぞらえて伝授する。元信は写しとり、本国に帰ったのち、遠山の身の上や土佐家の再興を約する。遠山は、元信が他に妻をもたないように頼む。

（江州高島　六角家館）24頁6行目～35頁2行目

六角頼賢が参勤で上洛の間、執権不破入道道犬、嫡子伴左衛門が留守居をする。お家の絵師長谷部雲谷は、元信が武隈の松を描いて過分の恩賞を受け、その上今日は妹姫銀杏の前が元信を召し内々に御用を申しつけると聞いて吟味を願う。姫は妾腹ゆえ田上郡七百町の朱印を付けて縁づけるつもりなので、道犬は伴左衛門に姫を請い受けて七百町を領有するつもりのところ、今日姫と元信と密々の祝言と聞き当てが外れる。元信を味方する名古屋山三も在京で不在ゆえ、元信に少しでも過失があれば打ち殺すと共謀する。

そこへ姫から依頼された掛け物を携えて元信が伺候する。大小を帯して奥へ渡る禁制を侵したと、伴左衛門が元信を遮るが、腰元が姫の意向と元信以外の者を下がらせる。元信をもてなす腰元のうち藤袴が、元信からの度々の姫への断りの返事に、せめて藤袴が姫になりかわって元信に抱かれよとの姫の仰せに元信が当惑するも、前から藤袴と夫婦の契約があったと言えばよいと偽りの祝言の盃をすると、藤袴は実は姫銀杏の前であった。

そこへ、伴左衛門と雲谷が乱入し、元信の掛け物には六角家を調伏する絵が描かれているとして元信に縄をかけ床柱に縛り付ける。元信の弟子雅楽の介之行は師の身を案じるところへ伴左衛門らが出てきて追いかけていく。元信は、右肩を食い破り、その血を口に含んで襖戸に虎の絵を描くと、絵の虎が抜け出す。虎は、姫の行方をさがす道犬をくわえて打ち付け、元信の縄を食い切り、背に乗せてかけ去る。

[第二]

（山科　土佐将監の庵）35頁4行目～46頁8行目

近郷の百姓らが信楽から出た虎を山科の藪へ追い込んだと評定する。土佐の将監光信の弟子修理之介正澄が日本には虎はいないとするが、師の将監が猛虎の姿は名筆の絵に魂が入ったものと見極め、その名筆の絵師こそ狩野四郎二郎元信とする。修理之介は絵の道を悟った証拠に筆にて虎を消すと宣言し、土佐の名字を名乗る許しを請う。将監は土佐光澄を名乗ることを許し印可の筆を授ける。光澄は印可の筆で虎を消し去る。

浮世又平重起夫婦が勅勘の師匠を見舞いに来る。又平は貧しく大津絵を生業とし、吃りであるため女房が通訳をしている。今日は土佐を名乗る許しを請うが、将監は勅勘を受けても守る土佐の名字を名乗る功が又平にはないと叱る。

そこへ、狩野四郎二郎元信の弟子雅楽之介が六角家の混乱で、七百町の朱印を持った姫君が敵方に奪われたので加勢を頼みに来る。将監は敵方をあざむくため弁舌のよい者を差し向けたいと思案をする。又平が名乗り出るが、将監は又平が吃りであるために許さず、修理之介に命じる。また、又平には武道の功ではなく絵の道の功があってこそ土佐の名をつがせると語る。又平の女房は又平に自害の覚悟を促し、手水鉢を石塔に見立て自らの絵像を描き、贈り号で土佐の名をつぐことに望みを託す。又平の生涯名残の絵に念力が徹し手水鉢の裏まで絵が貫通する。将監は、土佐又平光起を名乗ることを許し、姫と御朱印を取り返すことを命じる。姫奪還に弁舌がたつことが求められるが、舞にあわせると吃らないと、舞を披露し出立する。

（逢坂の関　又平住処）46頁9行目～52頁9行目

又平が姫救出に出立しようとする所に、敵方から逃れてきた姫、銀杏の前が現れ、又平夫婦が匿う。不破伴左衛門と長谷部雲谷が百騎の兵を引き連れ押し込む。家内には大津絵の絵柄の奴や藤娘などが兵を翻弄する。夜が明けると、又平の絵から抜け出たものとわかり、土佐を継いだ師の恩に感謝し、敵を切り立て追い払い、姫を連れて都を目指す。

[第三]

（京六条三筋町　大門口）53頁2行目～59頁6行目

廓の大門口に不破伴左衛門の死体が見つかり騒ぎとなる。取り調べに町年寄は、傾城葛城を請け出す伴左衛門と、葛城とかねてより深い仲の名古屋山三と双方に意趣があったと述べる。葛城の遺手を取り調べようとするが埒があかないので、もと越前敦賀の傾城で廓の世界に通じている遣手みやに頼んで弁舌あざやかに詮議をかわす。伴左衛門の死骸は酒漬けにして詮議は後日となる。

（舞鶴屋）59頁7行目〜65頁8行目

名古屋山三が訪れる。舞鶴屋伝三は、伴左衛門殺しの嫌疑がかかっているので帰ることを勧める。山三は、伴左衛門の讒言によって浪人となったこと、名筆の狩野四郎二郎元信を強いて六角家に登用したにも関わらず六角家の騒動に巻き込んだ不義理を悔い、葛城をめぐる意趣を幸いに伴左衛門を切ったこと、元信と銀杏の前を夫婦にして世に出すために切腹すべき命を、今は永らえていると語る。みやは、四郎二郎と姫の縁談を知るも、二世を誓った元信のために山三を助け生かそうとする。舞鶴屋伝三は、伴左衛門が請け出す前に既に山三が請け出していたことにして、山三が伴左衛門を女敵討ちにしたことにし、山三からは身請金として重代の刀左文字を身請けの質物として受け取る。

（あいのやま）66頁2行目〜68頁9行目

身の上を歎くみやをよそに、葛城は山三に会うために舞鶴屋の二階へと急ぐ。おりしも胡弓にあわせた相山節を禿たちが聞きたがるが銭をやって門付け芸人を追いやろうすると狩野四郎二郎元信であった。

（舞鶴屋）68頁10行目〜74頁6行目

禿たちが二階へ呼ばれ、二人きりになった元信とみやはこの四年間の身の上を語る。元信は自分故に山三が浪人をし伴左衛門を討った義理から山三に会うというが、みやは元信が山三と会えば銀杏の前との縁談を避けることはできず歎くも、押し切られてしまう。そこへ、舞鶴屋の伝三が葛城の山三による身請けの証文が調い、元信と銀杏の前の縁談も進むと喜ぶ。みやは本心を打ち明けることができず泣き伏す。

[第四]

（北野右近の馬場）74頁8行目〜79頁5行目

桃の枝葉が茂る頃、銀杏の前は元信との祝言のため右近の馬場に着く。白無垢姿のみやが身の上を語り、たとえ七日でも元信の妻としてくれと願う。銀杏の前は頼みを聞き入れ、みやは四十九日の間と約束する。

（北野の借り座敷）79頁6行目〜86頁2行目

表向きは銀杏の前との祝言として、みやは元信と過ごしている。五日目に名古屋山三が見舞いにくる。そこへ、舞鶴屋伝三がみやが七日前に死んだことを知らせに来る。

山三が腰元に様子をたずねると、二人は樒の香の煙を絶やさず、襖に熊野の絵を描いているとする。雅楽之介が行灯を差し入れると障子にうつるのは元信の姿のみで、女の影は五輪であった。雅楽之介が差し入れた菅笠を喜ぶみやは熊野詣でをする。

(みくまのかげろう姿) 86頁4行目~90頁4行目
夢から覚めた元信は我に返る。

[第五]

(同所　詮議の場) 90頁6行目~95頁9行目
夜が明けると、不破道犬と長谷部雲谷が伴左衛門の死骸とともに、名古屋山三を詮議にくる。山三は手形によって女敵討と証明する。道犬は伴左衛門が所持した手付金五百両について問いただすと、金を盗んだと疑われぬように伴左衛門の死体に埋めたと死骸より五百両を取り出す。道犬親子は獄門、雲谷は流罪と極まる。
元信は憂いに沈むも、銀杏の前と祝言をあげ狩野家の繁栄を言祝ぐ。

◎底本及び諸本について

本作は、近松門左衛門作「傾城反魂香」を改めたもので、別表の通り、七行本のみ、七種の正本が現存する。Aを底本とする。

奥書は、A、C、D、Fが同じ。Gのみは「右俳優曲調者」ではじまり、最もあとに刷られたものと判断した。

本文は、実丁数60、61、69他で異同がみられる。

丁付は、実丁と異なる丁付が、刊行ごとに順次修正されていったと仮定した。

本文の改訂と、丁付の修正のプロセスをあわせて考え、Aを底本とした。

なお、Aの演劇博物館本の、[反五十四]は、本文は鮮明な刷りであるにもかかわらず、枠の右端がごく薄く残るのみで丁付の文字がない。

長友千代治氏『近世上方　浄瑠璃本出版の研究』(東京堂出版、一九九九年)によれば、底本と同じ奥書の本文で、太夫名が「豊竹上野少掾」の様式の奥書を有する「今様傾城反魂香」があるとする。底本Aに先行するものになるが、管見の調査では未見である。なお、21頁4行目「しかし」の文字譜「地中」は、「地」と「中」の間に一文字分空白があり、「中」の上に「一」のようなものが見える(諸本全て同じ)。「傾城反魂香」の当該箇所の文字譜は「地色

実丁数／諸本	A	B	C	D	E	F	G
1~21	反一~反二十一	(同上)	(同上)	(同上)	(同上)	(同上)	(同上)
22	反十九	(同上)	(同上)	(同上)	**反二十二**	(同上)	(同上)
23	反廿	(同上)	(同上)	(同上)	**反廿三**	(同上)	(同上)
24~55	反廿四~反五十五	(同上)	(同上)	(同上)	(同上)	(同上)	(同上)
56	反五十九	(同上)	(同上)	(同上)	(同上)	**反五十六**	(同上)
57	反六十	(同上)	(同上)	(同上)	(同上)	**反五十七**	(同上)
58・59	反五十八・反五十九	(同上)	(同上)	(同上)	(同上)	(同上)	(同上)
60	反五十七 なきしづみたる	(同上)	(同上)	**反六十** **なきしづみつつ**	(同上)	(同上)	(同上)
61	反五十八 たびたび文でも	(同上)	**反六十一** **まへかた**文でも	(同上)	(同上)	(同上)	(同上)
62~68	反六十二~反六十八	(同上)	(同上)	(同上)	(同上)	(同上)	(同上)
69	反六十九 かんばやし	反六十九 **一もんじや**	(同上)	(同上)	(同上)	(同上)	(同上)
70	反七十 泣ごえよぞに	反七十 泣ごえよ**そ**に	(同上)	(同上)	(同上)	(同上)	(同上)
71~87	反七十一~反八十七	(同上)	(同上)	(同上)	(同上)	(同上)	(同上)
所蔵 *は奥書有 ☆は原題簽有	*国立劇場（底本）	国立文楽劇場 演劇博物館 （イ 17-112）	*☆演劇博物館 （イ 14-2-63）	*関西大学 図書館	演劇博物館 （イ 14-2-64）	*東京大学黒木文庫 *東京大学霞亭文庫 *早稲田大学図書館 *大東急記念文庫 *金沢大学附属図書館	*☆演劇博物館 （ニ 10-300）

中」である。底本Aに先行する「今様傾城反魂香」で「地色中」とするものがあり、底本Aに改訂するにあたり削った「色」の一部が残った可能性もある。

AからFまでは、奥書が同じで近い時期に刷られたと推定し、題簽は、Cの演劇博物館（イ14-2-63）を掲出した。なお、Gも題簽は同版である。

本書は、「傾城反魂香」の上中下の三段のうち、上から中までを五段構成に改めて、下は省略している。第一の冒頭（六角家在京の館）の場で、奥州武隈の松を狩野四郎二郎が描くことになったいきさつをくわえる。

第一（越前敦賀気比の浜）の場以降は、「傾城反魂香」の通りであるが、文言の抜き差しがあり、節付けも異なる。本書の本文の改訂は、近石泰秋氏によれば、「傾城反魂香」東洋文庫本七・八行八十一丁本と一致すると指摘する（『正本近松全集』八巻、「傾城反魂香」の解題）。しかし、本作の第三、第四の冒頭は、東洋文庫本にもない新たな文言を加えたものである。そのほかの本文の用字や文字譜の異同も多数あり「今様傾城反魂香」独自の改変がみられる。

◎補記

・13頁2行目の「日月草竹」は象形文字で表記する。

・次の又平の言葉には吃音の語りの指示として濁点様のものが付される。

42頁5行目　拙せしや（拙に濁点3つ）
　ゴウ御朱印（ゴに濁点3つ）
6行目　帰りましよ（帰に濁点2つ）
7行目　ひざ共談合（ひ　談　に濁点4つ）
　口こそ（口に濁点4つ）
8行目　天下（天に濁点3つ）
9行目　首がけ（首に濁点4つ）
10行目　つりがへ（つに濁点4つ）
43頁1行目　名字をつぎたい（つに濁点4つ）
　のぞみばつかり（ばに濁点4つ）
44頁4行目　きちがひとは（きに濁点4つ）

・44頁10行目「ごけにくつる共」は「傾城反魂香」では「こけにくつる共」とあり、誤刻と思われる。

（東　晴美）

義太夫節人形浄瑠璃上演年表（一七一六－一七六四）

一、この年表は、享保期から明和元年にかけて初演された義太夫節人形浄瑠璃作品について、上演年月と翻刻状況を中心に示したものである。

一、上演年月と外題は主に『義太夫年表　近世篇』八木書店に拠り、神津武男『浄瑠璃本史研究』八木書店を参照した。

一、同一の興行外題による再演（推定を含む）は、その正本の現存が『義太夫年表　近世篇』等で確認されているものを掲出した。

一、年表の座（所演）欄の略号は以下の通り。備考欄の「＊」は所演に係る注記事項。

豊：大坂豊竹座
竹：大坂竹本座
出：大坂伊藤出羽掾座
明：大坂明石越後掾座
陸：大坂陸竹小和泉座
北：大坂北本和泉座
宇：京宇治座
扇：京扇谷豊前掾座
外：江戸外記座
辰：江戸辰松座
肥：江戸肥前座
土：江戸土佐座
喜：竹本喜世太夫座
未：所演座未詳

一、翻刻欄には、第二次世界大戦後、『義太夫節浄瑠璃未翻刻作品集成』以前に刊行された翻刻書（原則として私家版および紀要等の雑誌に掲載されたものは除く）の有無について、以下の記号で示した。

▼：未翻刻
▲：未翻刻（戦前に翻刻あり）
▽：改題本または再演本で未翻刻（原作は翻刻あり）
×：正本の現存不明

一、翻刻欄または備考欄に記した翻刻書等の略号は以下の通り（丸文字は収録巻）。翻刻書が複数ある場合、近松門左衛門作品は『近松全集』岩波書店を、それ以外は最新刊を掲げた。なお、翻刻の会については、『同志社国文学』同志社大学国文学会に掲載された翻刻の一覧を年表末に付記することとした。

一風：『西沢一風全集』汲古書院、二〇〇二～二〇〇五年
海音：『紀海音全集』清文堂出版、一九七七～一九八〇年
加賀：『古浄瑠璃正本集　加賀掾編』大学堂書店、一九八九～一九九三年
義浄：『竹本義太夫浄瑠璃正本集』大学堂書店、一九九五年
旧全：『日本古典文学全集』小学館、一九七〇～一九七六年
旧大：『日本古典文学大系』岩波書店、一九五七～一九六七年
浄翻：『浄瑠璃正本翻刻集』国立劇場、一九八八年～
真宗：『大系真宗史料　伝記編4　真宗浄瑠璃』法藏館、二〇〇九年
新全：『新編日本古典文学全集』小学館、一九九四～二〇〇二年
新大：『新日本古典文学大系』岩波書店、一九八九～二〇〇五年
叢書：『叢書江戸文庫』国書刊行会、一九八七～二〇〇二年
近松：『近松全集』岩波書店、一九八五～一九九四年
半二：『日本古典全書　近松半二集』朝日新聞社、一九四九年
文流：『錦文流全集』古典文庫、一九八八～一九九一年
未戯：『未翻刻戯曲集』国立劇場、一九六七年～
近世篇：『義太夫年表　近世篇』八木書店、一九七九～一九九〇年
未翻刻：『義太夫節浄瑠璃未翻刻作品集成』玉川大学出版部、二〇〇六年～

年	月	座	外題	翻刻	備考
享保1	1	豊	八幡太郎東初梅	海音⑥	
	1頃	豊	鎌倉三代記	海音④	
	夏頃	豊	新板兵庫築島	海音④	
2	春	豊	傾城国性爺	海音③	
	2	竹	国性爺後日合戦	近松⑩	
	8	竹	鑓の権三重帷子	近松⑩	
	9	豊	照日前都姿	×	
	10以前	豊	八百屋お七	海音③	
	10	喜	八百屋お七恋緋桜	▼	＊江戸
	11	竹	聖徳太子絵伝記	近松⑩	
3	1	竹	山崎与次兵衛寿の門松	近松⑩	
	2	竹	日本振袖始	近松⑩	
	3	喜	八百屋お七恋緋桜付り後日	▼	＊江戸
	7	竹	曽我会稽山	近松⑩	
	8	豊	傾城吉原雀	×	
	10	竹	日蓮上人記	×	
	10	竹	傾城酒呑童子	近松⑩	
	11以前	豊	山椒太夫葭原雀	海音④	
	11	豊	今様賢女手習鑑	×	
	11	竹	博多小女郎波枕	近松⑩	
	12	竹	善光寺御堂供養	近松⑭	
4	1	豊	義経新高館	海音④	
	2	竹	本朝三国志	近松⑪	
	5	豊	神功皇后三韓責	海音⑤	
	8	豊	頼光新跡目論	海音⑤	
	8	竹	平家女護島	近松⑪	
	8	辰	八百屋お七江戸紫	▼	
	10	豊	業平昔物語	▽	『河内通』加賀④の改題
	11	竹	傾城島原蛙合戦	近松⑪	
	この年	豊	笠屋三勝二十五年忌	×	『二十五年忌』海音⑥の別本
	この年	喜	熊野権現烏午王	文流㊦	＊大坂曽根崎芝居
	この年	喜	竜宮東門阿波鳴戸	×	＊大坂曽根崎芝居
5	1	豊	鎮西八郎唐土船	海音⑤	
	3	竹	井筒業平河内通	近松⑪	
	8	竹	双生隅田川	近松⑪	

	9	豊	日本傾城始	海音⑤	
	11	竹	日本武尊吾妻鑑	近松⑪	
	12	竹	心中天の網島	近松⑪	
	この年	竹	河内国姥火	▲	未翻刻二⑬
6	1	豊	三輪丹前能	海音⑤	
	2	竹	津国女夫池	近松⑫	
	5	豊	伏見常盤昔物語	×	
	7	竹	女殺油地獄	近松⑫	
	閏7	豊	呉越軍談	海音⑥	
	8	竹	信州川中島合戦	近松⑫	
	10	豊	富仁親王嵯峨錦	海音⑥	
7	1	竹	唐船噺今国性爺	近松⑫	
	1	豊	大友皇子玉座靴	海音⑥	
	1	辰	重井筒難波染	▽	『心中重井筒』近松⑤の改題 近世篇〈補訂篇〉参照
	3	竹	浦島年代記	近松⑫	
	4	豊	心中二ツ腹帯	海音⑥	
	4	竹	心中宵庚申	近松⑫	
	6	辰	心中二つ腹帯	▽	『心中二ツ腹帯』海音⑥の改題

	9	竹	仏御前扇車	近松⑭	
	11	豊	東山殿室町合戦	海音⑦	
	顔見世	豊	坂上田村麿	海音⑥	近世篇参照
8	1	豊	玄宗皇帝蓬莱鶴	海音⑦	
	1	未	花毛氈二つ腹帯	×	*江戸 『心中二ツ腹帯』海音⑥の改題
	2	竹	大塔宮曦鎧	近松⑭	
	5	豊	記録曽我玉笄髷	▼	未翻刻二⑭
	7	豊	井筒屋源六恋寒晒	一風④	
	7	豊	傾城無間鐘	海音⑦	
	11	豊	建仁寺供養	一風④	
	11	竹	桜町昔名花	×	
9	1	竹	関八州繋馬	近松⑫	
	2	豊	頼政追善芝	一風④	
	7	竹	諸葛孔明鼎軍談	叢書⑨	
	10	豊	女蝉丸	一風⑤	
	11	竹	右大将鎌倉実記	▲	未翻刻一⑪
10	1	豊	昔米万石通	一風⑤	
	3	豊	南北軍問答	一風⑤	
	5	豊	身替弓張月	一風⑤	

	5	竹	出世握虎稚物語	▲	未翻刻一①
	6	竹	復鳥羽恋塚	▽	『一心五戒魂』義浄㊤の改題
	9	竹	大内裏大友真鳥	叢書⑨	
	10	豊	大仏殿万代石楚	一風⑤	
11	2	豊	曽我錦几帳	▼	未翻刻二⑮
	4	豊	北条時頼記	一風⑥	
	9	竹	伊勢平氏年々鑑	▲	未翻刻一④
12	1以前	外	頼政追善芝	▽	『頼政追善芝』一風④の江戸上演
	1	竹	敵討御未刻太鼓	▲	未翻刻二⑯
	2	豊	清和源氏十五段	▼	未翻刻一⑥
	4	竹	七小町	叢書⑨	
	8	竹	三荘太夫五人嬢	叢書⑨	
	8	豊	摂津国長柄人柱	叢書⑩	
13	2	豊	尊氏将軍二代鑑	▼	未翻刻一⑤
	3	竹	工藤左衛門富士日記	▲	未翻刻一③
	5	豊	南都十三鐘	▼	未翻刻二⑰
	5	竹	加賀国篠原合戦	叢書⑨	
	この頃	豊	頼政扇の芝	▽	『頼政追善芝』一風④の改題
14	1	豊	後三年奥州軍記	叢書⑩	
	2	竹	尼御台由比浜出	▼	未翻刻三㉓
	6	竹	新板大塔宮	×	『大塔宮曦鎧』近松⑭の改題
	8	竹	眉間尺象貢	▲	未翻刻五㊸
	9	豊	藤原秀郷俵系図	▼	未翻刻一②
	11	竹	京土産名所井筒	▼	未翻刻一⑦
15	1	豊	蒲冠者藤戸合戦	▼	未翻刻三㉔
	2以前	竹	梅屋渋浮名色揚	▼	未翻刻二⑱
	2	竹	三浦大助紅梅靮	叢書㊳	
	5	豊	本朝檀特山	▲	未翻刻三㉕
	8	竹	信州姨拾山	▲	未翻刻一⑧
	8	豊	楠正成軍法実録	▼	未翻刻二⑲
	11	竹	須磨都源平躑躅	▲	未翻刻一⑩
16	1	豊	源家七代集	▼	未翻刻二⑳
	4	豊	和泉国浮名溜池	▼	未翻刻二㉑
	6	豊	酒呑童子枕言葉	×	『酒呑童子枕言葉』近松⑥の豊竹座上演
	9	竹	鬼一法眼三略巻	▲	未翻刻一⑨

年	月	座	外題	翻刻	備考
	9以前	豊	殺生石	海音④	
	9以前	豊	忠臣青砥刀	海音⑦	
	9以前	豊	本朝五翠殿	海音④	
	9以前	豊	浄瑠璃古今序	海音④	
	9以前	豊	金平法問諍 忠臣身替物語	▽	『今様かしは木忠臣身替物語』義浄㊤の改題
	10	豊	赤沢山伊東伝記	▼	未翻刻一⑫
17	4	豊	八百屋お七恋緋桜	▽	『八百屋お七』海音③の改題
	4	竹	増補用明天王	▼	未翻刻七(72)
	5	豊	**今様傾城反魂香**	▼	未翻刻八(73)
	6	竹	伊達染手綱	▽	『丹波与作待夜のこむろぶし』近松⑤の改題
	9	竹	壇浦兜軍記	旧全㊺	
	9	豊	待賢門夜軍	▼	未翻刻四㉝
	10	豊	忠臣金短冊	叢書⑩	
	12	出	前内裏島王城遷	▼	未翻刻七(63)
18	2	豊	お初天神記	▽	『曽根崎心中十三年忌』海音⑦の改題
	4	竹	車還合戦桜	▲	未翻刻三㉖
	4	豊	鎌倉比事青砥銭	▲	未翻刻二㉒

年	月	座	外題	翻刻	備考
	6	竹	景事揃	×	
	7	竹	重井筒容鏡	▽	『心中重井筒』近松⑤の改題
	7	豊	莠伶人吾妻雛形	▼	未翻刻五㊹
19	2	竹	応神天皇八白幡	叢書㊳	
	5以前	辰	伊勢平氏年々鑑	▽	『伊勢平氏年々鑑』未翻刻④の江戸上演
	5以前	辰	傾情山姥都歳玉	▼	未翻刻六(53)
	5以前	辰	西行法師墨染桜	▽	『西行法師墨染桜』文流㊤の江戸上演
	6	豊	曽我昔見台	▼	未翻刻三㉗
	8	豊	那須与一西海硯	叢書⑪	
	10以前	未	契情我立杣	▼	＊江戸 未翻刻八(74)
	10	竹	芦屋道満大内鑑	新大(93)	
20	1	竹	元日金歳越	▲	未翻刻三㉘
	2	豊	南蛮鉄後藤目貫	×	写本（八種）が伝存 叢書⑪底本は演博本『南蛮銅後藤目貫』
	5	豊	万屋助六二代[衤希]	▲	未翻刻三㉙
	8	豊	苅萱桑門築紫𨏍	▲	未翻刻四㉞

年	月	座	外題	所在	備考
	9	竹	甲賀三郎窟物語	叢書㊳	
元文1	2	竹	赤松円心緑陣幕	▼	未翻刻五㊺
	2	竹	天神記冥加の松	×	
	3	豊	和田合戦女舞鶴	叢書⑪	
	5	竹	十二段長生島台	×	
	5	竹	敵討襤褸錦	▲	未翻刻六(54)
	10	竹	猿丸太夫鹿巻毫	叢書㊳	
	この頃	未	今様東二色	▼	＊江戸 未翻刻四㉟
2	1	豊	安倍宗任松浦簦	▲	未翻刻五㊻
	1	竹	御所桜堀川夜討	叢書㊳	
	1	竹	菅丞相冥加松梅	×	『浄瑠璃本史研究』参照
	7	豊	釜渕双級巴	▲	未翻刻四㊱
	10	竹	太政入道兵庫岬	▼	未翻刻五㊼
3	1	竹	行平磯馴松	叢書㊳	
	4	豊	丹生山田青海剣	▲	未翻刻四㊲
	8	竹	小栗判官車街道	叢書㊵	
	10	豊	茜染野中の隠井	▲	未翻刻六(56)
4	2	豊	奥州秀衡有鬠壻	未戯③	
	4	竹	ひらかな盛衰記	旧大(51)	未翻刻八(75)
	8	豊	狭夜衣鴛鴦剣翅	新大(93)	
5	2	豊	鶊山姫舎松	叢書⑪	
	4	豊	本田義光日本鑑	▲	未翻刻五㊽
	4	竹	今川本領猫魔館	▲	未翻刻八(76)
	7	竹	将門冠合戦	▲	未翻刻七(64)
	9	豊	武烈天皇艤	▲	
	11	竹	追善百日曽我	×	
	11	竹	恋八卦柱暦	▽	『大経師昔暦』近松⑨の改題（戦前に翻刻）
寛保1	1	竹	伊豆院宣源氏鏡	▲	未翻刻七(65)
	3	豊	本朝斑女簦	▼	
	5	竹	新うすゆき物語	新大(93)	
	5	豊	青梅撰食盛	▼	未翻刻八(82)
	7	豊	播州皿屋舗	叢書⑪	
	9	豊	田村麿鈴鹿合戦	▼	未翻刻四㊳
2	2	竹	花衣いろは縁起	▼	未翻刻四㊴
	3	豊	百合稚高麗軍記	▼	未翻刻四㊵
	3	肥	石橋山鎧襲	▼	未翻刻四㊶
	4	竹	室町千畳敷	▽	『津国女夫池』近松⑫の改題（戦前に翻刻）

年	月	座	外題		備考
	7	竹	男作五雁金	叢書㊵	
	8	豊	道成寺現在蛇鱗	叢書㊲	
	9	豊	鎌倉大系図	▼	未翻刻五㊾
3	3	豊	風俗太平記	▼	
	4	竹	入鹿大臣皇都諍	▼	未翻刻六(56)
	5	竹	丹州爺打栗	▼	未翻刻三㉚
	8	豊	久米仙人吉野桜	叢書㊲	
延享1	3	竹	児源氏道中軍記	▼	未翻刻六(57)
	3	肥	義経新含状	▲	未翻刻八(77) 改題本『後藤伊達䝰』が戦前に翻刻
	4	豊	潤色江戸紫	▲	
	9	豊	柿本紀僧正旭車	▼	未翻刻七(66)
	11	竹	ひらかな盛衰記	▽	近世篇参照
	11	竹	八曲筐掛絵	▼	未翻刻七(72)
	12	豊	遊君衣紋鑑	▼	未翻刻六(58)
2	1	明	三軍桔梗原	▼	
	2	竹	軍法富士見西行	叢書㊵	
	2	豊	詩近江八景	▼	未翻刻八(78)
	3	未	萬葉女阿漕	×	写本（一種）が伝存 未翻刻七(67)

年	月	座	外題		備考
	4	明	延喜帝秘曲琵琶	▼	
	5	豊	増補大仏殿献礎	▼	未翻刻六(59)
	7	竹	夏祭浪花鑑	旧大(51)	
	8	豊	浦島太郎倭物語	▼	未翻刻八(79)
	閏12	陸	唐金茂衛門東髪	▼	
3	1	竹	楠昔噺	叢書㊵	
	5	竹	追善仏御前	×	『仏御前扇車』近松⑭の改題
	5	竹	追善重井筒	▽	『心中重井筒』近松⑤の改題
	5	豊	酒呑童子出生記	▼	未翻刻五㊿
	7以前	竹	博田小女郎思湫	▽	『博多小女郎波枕』近松⑩の改題
	8	陸	歌枕棣棠花合戦	▼	未翻刻七(68)
	8	竹	菅原伝授手習鑑	旧全㊼	
	10	陸	女舞剣紅楓	▼	未翻刻六(60)
	11	豊	花筏巌流島	▼	未翻刻八(80)
4	2	豊	裙重紅梅服	▼	
	2	陸	鎮西八郎射往来	▼	
	2以降	陸	氷室地大内軍記	×	
	3	豊	万戸将軍唐日記	▼	

年	月	座	外題	翻刻	備考
	7	豊	悪源太平治合戦	▼	
	8	竹	傾城枕軍談	▼	未翻刻三㉛
	10	肥	いろは日蓮記	▼	未翻刻四㊷
	11	竹	義経千本桜	新大(93)	
寛延1	1	豊	容競出入湊	未戯⑫	
	7	豊	東鑑御狩巻	▼	未翻刻七(69)
	8	竹	仮名手本忠臣蔵	新全(77)	
	9	宇	住吉誕生石	▼	
	11	豊	摂州渡辺橋供養	叢書㊲	
2	3	豊	八重霞浪花浜荻	浄翻①	
	4	竹	粟島譜嫁入雛形	▼	未翻刻五(51)
	7	辰	粟島譜利生雛形	×	『粟島譜嫁入雛形』未翻刻(51)の改題
	7	豊	華和讃新羅源氏	真宗	
	7	豊	なには五節句操大踊	×	
	7	竹	双蝶蝶曲輪日記	新全(77)	
	10	肥	日蓮記児硯	▽	『いろは日蓮記』未翻刻㊷の改題
	11	豊	物ぐさ太郎	▼	未翻刻五(52)
	11	竹	源平布引滝	旧大(52)	未翻刻八(81)
3	3	豊	手向八重桜	浄翻①	
	6	豊	夏楓連理枕	▼	
	8	肥	新板累物語	▼	未翻刻六(61)
	8頃	豊	傾城買指南	▼	未翻刻八(82)『浄瑠璃本史研究』参照
	11	竹	文武世継梅	▼	未翻刻六(62)
宝暦1	1	豊	玉藻前曦袂	▼	未翻刻七(70)
	2	竹	恋女房染分手綱	▼	未翻刻七(71)
	4	豊	浪花文章夕霧塚	▼	
	7	竹	仕合丸浪花入船	×	
	7	豊	頼政扇子芝	▽	『頼政追善芝』一風④の改題
	8	肥	八幡太郎東海硯	▼	
	10	豊	日蓮聖人御法海	未戯⑩	
	10	竹	役行者大峰桜	叢書⑭	
	12	豊	一谷嫩軍記	▲	未翻刻三㉜
	この頃	肥	親鸞聖人絵伝記	×	
2	2	竹	名筆傾城鑑	▼	
	5	竹	世話言漢楚軍談	▼	
	7	肥	太平記枕言	▼	

	11	竹	伊達錦五十四郡	▼	
	12	豊	倭仮名在原系図	▼	
3	5	竹	愛護稚名歌勝鬨	叢書⑭	
	7	豊	雄結勘助島	▼	
4	1	竹	菖蒲前操弦	▲	
	2	豊	相馬太郎孛文談	▼	
	4	竹	小袖組貫練門平	▼	
	7	豊	義経腰越状	▼	
	10以前	竹	太平記曦鎧	▽	*京『大塔宮曦鎧』近松⑭の改題
	10	竹	小野道風青柳硯	叢書⑭	
	10頃	竹	恋女房染分手綱	▽	*京
	12	豊	天智天皇苅穂庵	▼	
5	4	豊	三国小女郎曙桜	▼	
	6	竹	庭涼座鋪操	▼	
	7	豊	双扇長柄松	▼	
	7	竹	庭涼操座鋪	▼	
	11	竹	拍子扇浄瑠璃合	▼	
	11	竹	年忘座鋪操	▼	
6	2	竹	崇徳院讃岐伝記	▼	

	3	豊	義仲勲功記	▼	
	5	竹	業平男今様井筒	▽	*京『京土産名所井筒』未翻刻⑦の改題
	10	竹	平惟茂凱陣紅葉	▼	
	閏10	豊	甲斐源氏桜軍配	▼	
	この年	豊	和田合戦女舞鶴	▽	近世篇参照
7	1	豊	写倆足利染	▼	
	2	竹	姫小松子の日遊	▼	
	3	豊	前九年奥州合戦	▼	
	7	肥	泉三郎伊達目貫	▼	
	9	竹	薩摩歌妓鑑	▼	
	12	豊	祇園祭礼信仰記	叢書㊲	
	12	竹	昔男春日野小町	▼	
8	3	竹	敵討崇禅寺馬場	▼	
	8	肥	聖徳太子職人鑑	▼	
	8	竹	蛭小島武勇問答	▼	
9	2	竹	日高川入相花王	未戯⑦	
	3	豊	芽源氏鶯塚	▼	
	5	豊	難波丸金鶏	▲	
	9	竹	太平記菊水之巻	叢書⑭	

	10	竹	楠正行軍略之巻	×	＊京『太平記菊水之巻』叢書⑭の改題
	12	豊	先陣浮洲巌	▼	
10	3	豊	桜姫賤姫桜	▼	
	7	竹	極彩色娘扇	▼	
	11	竹	年忘座舗操	×	＊大坂曽根崎新地芝居
	12	豊	祇園女御九重錦	叢書㊲	
11	1以前	竹	浪花土産年玉操	×	＊京
	1	竹	安倍清明倭言葉	▼	
	3	豊	八重霞浪花浜荻	▽	＊大坂曽根崎新地芝居 近世篇参照
	5	竹	由良湊千軒長者	▼	
	5	豊	曽根崎模様	▼	＊大坂曽根崎新地芝居
	9	豊	人丸万歳台	▼	
	9頃	豊	下総国累蠢	×	近世篇〈補訂篇〉参照
	10	竹	冬籠難波梅	×	
	11	竹	古戦場鐘懸の松	▼	
12	2	豊	三好長慶礎軍談	▼	
	3	竹	花系図都鑑	▼	
	閏4	豊	岸姫松轡鑑	▼	

	6	竹	夏景色浄瑠璃合	×	
	夏	未	忠臣五枚兜	×	写本（一種）が伝存『浄瑠璃本史研究』参照
	9	竹	奥州安達原	半二	
13	3	豊	洛陽瓢念仏	▼	
	4	竹	山城の国畜生塚	叢書⑭	
	4	竹	天竺徳兵衛郷鏡	未戯⑤	
	4	豊	新舞台咲分牡丹	▼	
	7	豊	新舞台扇子錦木	▼	『浄瑠璃本史研究』参照
	8	竹	御前懸浄瑠璃相撲	×	
	12	豊	馬場忠太紅梅箙	▼	
	宝暦年中	竹	あづま摂恋山崎	×	
	宝暦年中	竹	天神記恵松	▽	『天神記』近松⑧の改題
	宝暦末頃	未	鉦石川五右衛門	×	＊京『浄瑠璃本史研究』参照
明和1	1	土	吉野合戦名香兜	▼	
	1	北	須磨内裏掰弓勢	▼	
	1	竹	傾城阿古屋の松	▼	
	3	外	増補姫小松子日の遊四段目	▼	『浄瑠璃本史研究』参照
	4	豊	官軍一統志	▼	

4	肥	祇園祭金閣寺小袖之鏡	×	
4	竹	京羽二重娘気質	▲	
夏	肥	乱菊枕慈童	×	『浄瑠璃本史研究』参照
7	竹	敵討稚物語	▲	
8	外	明月名残の見台	×	
8	扇	増補女舞剣紅葉	▼	
9	外	菊重蘸月見	×	
10	豊	嬢景清八島日記	▼	近世篇参照
11	豊	二ツ腹帯	▽	近世篇〈補訂篇〉参照
11	竹	江戸桜愛敬曽我	×	
12	竹	冬桜咲分錦	×	近世篇〈補訂篇〉参照
12	豊	いろは歌義臣鑒	▲	

（義太夫節正本刊行会）

［付記］翻刻の会（同志社大学）による翻刻一覧

享保13　尊氏将軍二代鑑　『同志社国文学』五七・六〇・六二
元文5　武烈天皇樴　『同志社国文学』六四・六六
寛保1　本朝斑女簔　『同志社国文学』四〇
寛保3　風俗太平記　『同志社国文学』三七
延享1　潤色江戸紫　『同志社国文学』九二・九三
延享4　悪源太平治合戦　『同志社国文学』七〇・七五
宝暦2　名筆傾城鑑　『同志社国文学』四五・四六
宝暦8　聖徳太子職人鑑　『同志社国文学』九六・九八
宝暦11　曽根崎模様　『同志社国文学』四一・四三
明和5　よみ売三巴　『同志社国文学』八二
明和6　振袖天神記　『同志社国文学』八八・九〇
寛政9　会稽多賀誉　『同志社国文学』七四・七七

義太夫節正本刊行会

飯島　満　伊藤りさ　上野左絵　川口節子
黒石陽子　坂本清恵　桜井　弘　高井詩穂
田草川みずき　富澤美智子　原田真澄　東　晴美*
渕田裕介　森　貴志　山之内英明

（*は本巻担当者）

義太夫節浄瑠璃未翻刻作品集成（第8期）73

今様傾城反魂香

2025年2月25日　初版第1刷発行

編者 ——— 義太夫節正本刊行会
発行者 ——— 小原芳明
発行所 ——— 玉川大学出版部
〒194-8610 東京都町田市玉川学園6-1-1
TEL 042-739-8935　FAX 042-739-8940
http://www.tamagawa.jp/up/
振替 00180-7-26665
装丁 ——— 松田洋一（原案）・しまうまデザイン
印刷・製本 ——— 創栄図書印刷株式会社

乱丁・落丁本はお取り替えいたします。

ISBN978-4-472-01695-0 C1091 / NDC912